ZU DIESEM BUCH

Richard Gordon führt in diesem Roman seine Leser in alle Geheimnisse der Ausbildung eines Mediziners ein, durchwandert mit ihm auf die amüsanteste Weise Hörsäle, Krankenzimmer und Operationsräume. Wir lernen die schlaksigen, übermütigen Medizinstudenten von St. Swithin kennen, sehen, wie der berühmte Chirurg Sir Lancelot während seiner Operationen die Instrumente auf den Boden wirft, wie der Narkotiseur während der kritischen Momente Zeitung liest, wie sich Liebesbeziehungen trotz Wachsamkeit der Oberschwester in den abwegigsten Winkeln der Klinik entfalten. Die ironische Schilderung der grotesken Abseiten des ärztlichen Berufes kann jedoch nicht darüber hinwegtäuschen, daß hier ein passionierter Arzt schreibt, der sich durchaus seiner ethischen Verflichtung bewußt ist, sich aber über sich selbst und die Schwächen seiner Kollegen lustig zu machen weiß, übermütig und bissig oft, aber doch nie ohne menschliche Wärme.

Richard Gordon ist der Autor einer Reihe tolldreister Romane aus der Welt der Medizin, die sämtlich Weltbestseller und ausnahmslos verfilmt wurden, darunter «Doktor ahoi!» (rororo Nr. 213) und «Hilfe! Der Doktor kommt» (rororo Nr. 233). Der Autor, der im bürgerlichen Leben Dr. med. Gordon Ostlere heißt, war zunächst praktischer Arzt in Oxford und London, dann Schiffsarzt, gab aber schließlich seine medizinische Laufbahn auf, um diese und weitere heitere Bücher zu schreiben. Auch der hier vorliegende Roman ist erfolgreich auf die Leinwand gelangt. Das Buch erreichte allein in der englischen Originalausgabe rasch eine Auflage von über 400 000 Exemplaren.

Auch Gordons weitere Bücher: «Dr. Gordon verliebt» (rororo Nr. 358), «Dr. Gordon wird Vater» (rororo Nr. 470), «Doktor im Glück» (rororo Nr. 567), «Eine Braut für alle» (rororo Nr. 648), «Doktor auf Draht» (rororo Nr. 742), «Finger weg, Herr Doktor!» (rororo Nr. 1694) und «Wo fehlt's, Doktor?» (rororo Nr. 1812) zeichnen sich durch den gleichen herzerfrischenden Humor aus.

Gesamtauflage der Werke von Richard Gordon in den rororo-Taschenbüchern: Über 1,3 Millionen Exemplare.

RICHARD GORDON

ABER HERR DOKTOR!

EIN TOLLDREISTER ROMAN

ROWOHLT

Als Buchausgabe unter dem Titel
«Der lachende Mediziner, ‹Aber Herr Doktor!›» erschienen
Übertragen ins Deutsche von LUISE WASSERTHAL-ZUCCARI
Umschlagentwurf Jürgen Wulff

1.–250. Tausend	1956–1974
251.–255. Tausend	Juni 1976
256.–260. Tausend	April 1976

Ungekürzte Ausgabe
Veröffentlicht im Rowohlt Taschenbuch Verlag GmbH,
Hamburg, März 1956, mit Genehmigung des
Paul Zsolnay Verlages GmbH, Hamburg/Wien
Gesetzt aus der Linotype-Cornelia
Gesamtherstellung Clausen & Bosse, Leck/Schleswig
Printed in Germany
380-ISBN 3 499 10176 9

Jo

ZUGEEIGNET

«Ein paar faule Tagediebe, die den ganzen Tag nichts
als rauchen und saufen und Maulaffen feilhaben...die
die Leute zerschneiden und zusammenmetzgern und
ein wahrer Schimpf für das Haus sind.»
       Bob Sawyers Hauswirtin in Dickens' ‹Pickwickiern›

I

DAS REICHHALTIGE UND VOLLKOMMEN UNBENÜTZTE CHIRURGISCHE
Besteck, das mein Vater in seinem Ordinationsraum aufbewahrte,
besaß für den alten Herrn denselben melancholischen Zauber wie
eine hoffnungsvoll vorbereitete Babyausstattung für eine alternde kinderlose Frau. Zwanzig Jahre hindurch hatte mein Vater
heldenhaft die Selbsttäuschung aufrechterhalten, daß er eines Tages in die Lage kommen würde, die Instrumente in Gebrauch zu
nehmen. Sie lagen in die Vertiefungen der metallenen Einsätze
eingebettet und paßten ineinander wie die Teile eines chinesischen
Zusammensetzspieles. Da gab es eine scharf gezahnte Trepanier-
Rundsäge, mit der man Löcher in den Schädel bohren konnte;
Knochenzangen, die wie blitzende Beißzangen aussahen; eine breite
Metallsäge zum Amputieren; Scheren mit langen scharfen Schneiden; Sonden, Trokars und Bistouris; und eine Reihe von Skalpel-
len, pompös und nutzlos wie eine Reihe von Zeremonienschwer-
tern.

Die Instrumente lagen in einer schweren schwarzen Holzkasset-
te, die seinen Namenszug auf einem trüb gewordenen Metallschild-
chen eingraviert trug. Er hatte sie vor einigen Jahren auf dem
Boden eines hohen Eckschranks verstaut, wo sie unter alten medizinischen Zeitschriften, abgelaufenen Vormerkkalendern und bunten Prospekten von großen Heilmittelfirmen erstickte, die er von
Zeit zu Zeit im vagen Glauben hineingeworfen hatte, daß sie ihm
eines Tages noch von Nutzen sein könnten. Wenn er gelegentlich
im staubigen Papier kramte, entdeckte er wohl die Kassette, und
für einen Augenblick glommen in ihm all seine vereitelten Plä-
ne wieder auf: er war einst überzeugt gewesen, daß er ein großer
Chirurg werden würde, und die Instrumente waren das kostspielige Geschenk seiner bewundernden Mutter gewesen, am Tage,
da er das Doktor-Examen bestanden.

Meine Großeltern waren leider Gottes die einzigen, die seine
Zuversicht in puncto seiner Berufswahl teilten. Der erste Schritt

dazu, ein auch nur mittelmäßig befähigter Chirurg zu werden, ist die Erlangung der Mitgliedschaft des Royal College in Form eines Examens, dem er sich sechs Jahre hindurch regelmäßig zweimal jährlich unterzog, bis er sich endlich zur traurigen Wahrheit durchrang, daß seine Fähigkeiten keinen hinreichend wirksamen Ansporn für seinen Ehrgeiz bildeten. Danach war seine Geschichte die gar nicht so unerfreuliche Geschichte soundsovieler anderer erfolgloser junger Chirurgen: er heiratete und zog in die Provinz, um praktischer Arzt zu werden.

Als die Namenstafel aus Messing an seinem Türpfosten angeschraubt wurde, erschien sie ihm wie der Sargnagel seiner chirurgischen Zukunftsträume. Ein paar Monate lang war er über das Aufgeben seiner Spezialistenlaufbahn verbittert, aber sein Groll schwand rasch unter den gewichtigen Tragflächen von Haus und Familie, einer ausgefüllten Praxis und den bedeutsamen Alltagsereignissen des provinziellen Lebens dahin. Er wurde ein erfolgreicher, ja sogar ziemlich tüchtiger praktischer Arzt und meditierte nur dann über seine erloschenen Ambitionen, wenn er auf seine Instrumentenkassette stieß oder sich ernstlich mit der Erziehung seines Sohnes befaßte.

Wie die meisten Ärztekinder sah ich seit meinen frühesten Schultagen eine medizinische Qualifikation als einen Erbtitel an. Die Graduierung erschien mir als ein unabwendbar eintretendes Ereignis; tatsächlich war es weder meinen Eltern noch mir möglich, sich eine andere Vorstellung von meinem Lebensunterhalt zu bilden. Mein Vater fragte sich wohl manchmal schüchtern, ob ich seine eigenen Hoffnungen auf eine chirurgische Laufbahn verwirklichen würde, aber die Erfahrung hatte ihn gelehrt, Vorsicht bei Voraussagen bezüglich der höheren Studienziele seines Sohnes walten zu lassen. Keinesfalls hatte ich in meiner frühen Jugend irgendeine Befähigung zu meiner bereits fixierten Karriere kundgetan. Bis zu meinem sechsten Lebensjahr pflegte ich wohl Vögel und kleine Säugetiere, die ich listenreich im Garten fing, in Stükke zu zerteilen, und meine Eltern erblickten darin das Anzeichen eines natürlichen Hanges zu den biologischen Wissenszweigen. Die medizinische Praxis bestand für mich lediglich aus einer Reihe mysteriöser Leute, die zweimal täglich zur Vordertür hereinkamen, und aus dem schwachen Geruch der Antiseptika, der so lange, als ich zurückdenken kann, in meiner Nase war, wie der Geruch des Meeres in der eines Fischerjungen.

Einmal stellte mich mein Vater auf sein lederüberzogenes Untersuchungssofa, auf dem schon die geachtetsten Leiber des Distrikts in unerfreulicher Nacktheit gelegen hatten, und zeigte mir die eingerahmte Photographie, die darüber hing. Sie stellte das Rugby-Team seines alten Spitals in jenem Jahr dar, da es ihm durch die glückliche Fügung einer Diphtherieerkrankung des regulären Dreiviertelspielers gelungen war, in den Seitenflügel hineinzurutschen.

«Welcher bist denn du, Daddy?» fragte ich, indem ich meinen Zeigefinger die Doppelreihe der feierlich dreinblickenden kurzbehosten Jünglinge entlanggleiten ließ.

Er wies auf einen dünnen Burschen am Ende der hinteren Reihe. «Das gute alte St. Swithin!» murmelte er wehmutvoll. «Du wirst eines Tages auch dort sein, Kleiner. Und paß auf, du wirst bei der Ersten Mannschaft sein wie dein Vater.»

Seine Liebe zu dem alten Spital wuchs und wuchs mit den Jahren nach seinem Abgang, wie die Anhänglichkeit an die Heimstätte der Jugendzeit zu wachsen pflegt. Als Medizinstudent hatte er nur etwa eine Stunde wöchentlich auf dem Fußballplatz eine edle Aufwallung von Verbundenheit mit dem Spital aufkommen lassen; jetzt aber verkörperte dieses eine glänzende Periode seines Lebens, in der er auf sich selbst gestellt, frei von Verantwortung und bis zum Zerspringen von Ehrgeiz erfüllt gewesen war. Ich wuchs mit der Vorstellung heran, daß St. Swithin eine Kombination der Leistungsfähigkeit der Mayo-Klinik, der Weisheit des Hippokrates und der sportlichen Entfaltungsmöglichkeiten des Stadions zu Wembley sei. Den Großteil meiner Schulzeit schwebte es mir als ein zwar unklares, aber köstliches und sicheres Ziel — dem Himmel gleich — vor, und erst als ich selbst im Begriff stand, es aufzusuchen, nahm ich mir die Mühe, meine Gedanken darauf zu konzentrieren.

St. Swithin war in Wirklichkeit ein unscheinbares allgemeines Krankenhaus, dessen graue und unhygienisch aussehende Mauern sich über einen rußigen Teil des nördlichen London erstreckten. Es war nicht einmal eines der ältesten Spitäler der Metropole, und da in England ein hohes Alter als die erste aller Tugenden geschätzt wird, erfüllte dieser Umstand das Personal und die Studenten mit einem leisen Gefühl der Minderwertigkeit. St. Swithin besaß keineswegs die stolze Alterswürde St. Bartholomews, das schon seit mehreren Jahrhunderten auf das frische Grün Smithfields und die süßen Wasser der Fleet hinausblickte, die sich munter und wild in die der Themse ergossen; noch war es so bejahrt wie St. Thomas jenseits des Flusses, das schon als alt galt, da Shakespeare ans Globe-Theater kam. Seine Entstehung war in Dunkel gehüllt, aber es gab eine Überlieferung, derzufolge es anläßlich des Ausbruchs der Syphilis gegründet wurde, die sich nach der Entdeckung Amerikas über Europa hinwegwälzte; sie war von den Seeleuten des Kolumbus importiert worden (die damit eine dauernde maritime Einrichtung ins Leben riefen). St. Swithin existierte aber immerhin für die Londoner lange genug, daß sie es als eines der festen und zuverlässigen Wahrzeichen ihrer Stadt betrachteten, etwa wie die Westminster Bridge oder die St.-Pauls-Kathedrale. Jetzt betreute es nur mehr die bleichsüchtigen Bewohner der Straßen rund um seine Mauern, und bei ihnen hieß es seit drei oder vier Generationen einfach «Das Spital», wohin man ging, um — nach jeweiliger Schicksalsfügung — geheilt zu werden oder zu sterben.

Ich sah St. Swithin erst an jenem Morgen, da ich vom Dean der medizinischen Schule geprüft werden sollte. Der Dean hatte die schriftliche Anfrage meines Vaters mit der Versicherung beantwortet, daß das Institut stets gerne die Söhne ehemaliger Swithin-Leute bei sich sehe, jedoch hinzugefügt, daß er nichtsdestoweniger von der Leitung dazu verhalten sei, die Anwärter einer Prüfung zu unterziehen und nur diejenigen zum Studium zuzulassen, die sich für die Ausübung der Heilkunde in hohem Maße geeignet zeigten. Da der Studiengang gesetzlich auf eine Frist von nicht weniger als sechs Jahren festgesetzt war, sah ich mich zu meiner Bestürzung vor einer Aufgabe, die ebenso schwer zu lösen war wie die Geschlechtsbestimmung von einen Tag alten Kücken. Eine Woche lang machte ich bei meinem Vater ein hartes Training in allen Fragen durch, die der Dean voraussichtlich an mich stellen würde; dann legte ich meinen besten Anzug an und fuhr nach London.

Zögernd betrat ich den Vorhof, der durch eine lange Reihe wuchtiger eiserner Gitterstäbe und ein Pförtnerhaus von der Straße abgegrenzt war. Im Hof standen einige Platanen, in der Mitte waren ein ausgeblaßter Rasenfleck und ein paar große schwarze Statuen zu sehen, die die berühmtesten Söhne St. Swithins darstellten. Zur Rechten des Gitters, vom Eintretenden aus gesehen, erhob sich Lord Larrymore, der namhafte Internist der Viktorianischen Zeit, der einige Jahre hindurch behauptete, knapp daran zu sein, den Erreger der Tuberkulose zu entdecken, dem jedoch brutalerweise Robert Koch in Deutschland zuvorgekommen war.

Zur Linken erblickte man den Chirurgen Sir Benjamin Bone, Larrymores gefeierten Zeitgenossen, der um ein Haar an den Hof der Königin berufen worden wäre, aber in der letzten Minute fallengelassen wurde, weil Ihre Majestät Einwände gegen das zwar kostspielige, aber enervierende Aroma von Zigarren und Brandy erhob, das seiner Person den ganzen Tag entströmte.

Als St. Swithin zu Beginn des Jahrhunderts als Lehrstätte einen Ruf erlangte, wurde sich das Ärztepersonal wie eine Familie Neureicher seines Mangels an repräsentativen Vorfahren bewußt. Man unterzog infolgedessen jene beiden Herren einem medizinischen Kanonisierungsverfahren und stattete sie dabei mit fachlichem Können und geistigen Vorzügen aus, für die sich in ihrer wahren Lebensgeschichte wenig Hinweise fanden. Kurz nachdem sie in das Ärztekollegium gewählt worden waren, zerstritten sie sich, und von da an weigerten sie sich dreißig Jahre lang, miteinander zu reden. Der in beruflichen Angelegenheiten notwendige Verkehr wurde durch kurze, in der dritten Person abgefaßte Mitteilungen abgewickelt, die ein eigens zu diesem Zweck aufgenommener Diener von dem einen zum andern trug. Gegen das Ende seines Lebens weigerte sich Sir Benjamin überhaupt, den Namen seines Kollegen in den Mund zu nehmen, und gab nicht zu erkennen, daß er um die Existenz des andern wußte, bis er eines Neujahrstages erfuhr, daß Larrymore die Baronie verliehen worden war, und darob einem plötzlichen Schlaganfall erlag.

Nun glotzten die beiden Ärzte voll gelassener und steifer Verdrießlichkeit einander über den Hof hinweg an und wurden nur von seiten der Studenten durch gelegentliche Malkünste und von seiten der Londoner Tauben durch regelmäßige Kleckse verunglimpft. Der ursprüngliche Gegenstand ihres Streites war lang vergessen, aber wahrscheinlich war er viel zu unbedeutend, um eines Interesses wert zu sein.

Meine Aufmerksamkeit wandte sich von den Nachbildern der Ärzteschaft St. Swithins deren lebenden Gegenstücken zu. Das Personal des Spitals schien sich in einem Zustand andauernden Hinundherlaufens über den Hof zu befinden. Die konsultierenden Internisten und Chirurgen waren leicht zu erkennen, denn sie stürzten demonstrativ von einer Stelle zur anderen, als ob sie in verzweifelter Eile wären. Das erzeugte den Eindruck, daß ihre Dienste gleichzeitig an vielen Orten dringend vonnöten waren, und wirkte sich ausgezeichnet auf ihren ärztlichen Ruf aus. Die jungen praktizierenden Ärzte hatten die Gewohnheit ihrer Vorgesetzten rasch übernommen. Die Anstaltsärzte strichen mit wichtigtuerischer Miene durch den Hof, ihre kurzen weißen Mäntel flatterten hinter ihnen her, die Stethoskope pendelten von ihren Hälsen herunter; sie trugen jenen Ausdruck tiefster Konzentration zur Schau, den man nur auf den Gesichtern ganz frisch gebackener Doktoren sieht. Dieser hastige graue Ärztezug wurde durch die Pflegerinnen aufgehellt, die lange malvenfarbige Gewänder und gestärkte weiße Hauben trugen, welche hinten wie weiße Taubenschwänzchen aufgestellt waren. Sie trippelten munter von einer Abteilung zur anderen und zum Schwesternheim im Hinterhaus. Von all den Leuten im Hof waren sie die einzigen, deren Eile nicht geheuchelt war, denn sie hatten so wenig Zeit für sich selbst, daß sie ihr Leben in einem unausgesetzten Hasten beim Antreten oder Verlassen ihres Dienstes verpulverten.

Die Hauptmasse der Fußgänger im Hof wurde durch eine Anzahl fast ebenso gewichtig dreinblickender und eiliger Leute ergänzt, die ich zu identifizieren außerstande war. Außer Ärzten und Pflegerinnen bedarf ein Spital zu seiner Führung einer Reihe von Männern und Frauen vieler anderer Berufszweige. Es müssen Chefköche da sein, um das Essen zuzubereiten, und Diätköche, um diesbezüglich Vorschriften zu machen; Mädchen zur Bedienung der Röntgenapparate und Putzfrauen zum Aufwischen der Böden; Physio-Therapeuten, um zu verhindern, daß die Muskeln der Patienten infolge der Bettruhe erschlaffen, und Beschäftigungs-Therapeuten, um die Gemüter von einem ähnlichen Verfall zu bewahren, indem sie den Patienten die Verfertigung von Matten, Teppichen, ausgestopften Pferdchen und anderen beruhigenden Artikeln beibrachten, solange sie in den Krankensälen eingesperrt waren. Es müssen Aufzugwärter da sein und Wäscherinnen, Spitalsdiener und -geistliche, Heizer und Statistiker; und um alle diese Leute zu bezahlen und zu kontrollieren, bedarf es wiederum einer großen Anzahl Angestellter, Tippfräulein und Sekretäre. Es war so weit gekommen, daß zu St. Swithin vier Mann Personal auf je einen Patienten fielen, und nun schien sich dieses naturgesetzmäßig auszubreiten, Wasserlilien gleich, die allmählich einen Tümpel überziehen.

Es gab auch Patienten im Hof. Ein paar lagen neben den Standbildern in ihren Betten, fest in rote Decken eingewickelt, und sogen Genesung aus der schmutzigen Londoner Luft ein. Andere humpelten an Stöcken herum, hilflos dem Hin und Her der Spitalsaktivität ausgeliefert; ein oder zwei vom Glück Begünstigte hatten ein stilles Plätzchen gefunden und blieben da, Forellen ähnlich, die sich unterm Ufersaum eines Gebirgsflüßchens sonnen. Und während ich so beobachtend dastand, bahnte sich ein munterer Geselle einen Weg durch die Menge, der schwungvoll eine zwei Meter lange, mit einem steifen Sackleinen bedeckte Bahre vor sich her stieß, in Richtung einer kleinen Tür im Winkel, über der «Leichenkammer» stand.

Ich erkundigte mich nach dem Sprechzimmer des Deans, Dr. Lionel Loftus. Ein Diener führte mich in einen kleinen, kahlen Warteraum, dessen einziger Schmuck aus den eingerahmten Schwarz-Weiß-Bildnissen verflossener Deans bestand, die wie eine Reihe schmutziger Ziegel die Wände entlangliefen. Da keine Sessel vorhanden waren, setzte ich mich auf die Kante des dunkel polierten Tisches und schlenkerte mit den Beinen. Die ganze Umgebung und die eine Woche «Training» bei meinem Vater hatten mich niedergeschlagen und nervös gemacht. Mein Kopf war voll von den scheußlichen Fragen, die Dr. Loftus wohl gerade für meine Prüfung auswählte, und ich entdeckte zu meiner Überraschung, daß ich auf keine eine zufriedenstellende Antwort wußte. Ich fragte mich, was ich sagen sollte, wenn er nur einfach wissen wollte, warum ich Arzt zu werden wünschte. Die Antwort darauf war vermutlich die, daß weder meine Eltern noch ich so originell waren, an einen anderen Beruf zu denken, aber das schien mir keine glückliche Eingebung zu sein, um den Eintritt in eine medizinische Schule zu erlangen.

Diese entmutigenden Einblicke wurden durch das Öffnen der Wartezimmertür unterbrochen. Ein alter Mann, der mich schweigend ansah, stand auf der Schwelle. Er trug einen dicken schwarzen Gehrock, der bis hoch hinauf zugeknöpft war, enge Hosen und einen hohen Stehkragen. In der Hand hielt er einen goldgefaßten Kneifer, der mit einem breiten schwarzen Seidenband an seinem rechten Rockaufschlag befestigt war. Er war so dürr, so alt, so bleich und so matt, daß er sich, ohne aufzufallen, im nahe gelegenen Leichenschauraum hätte niederlassen können.

Er klemmte seinen Kneifer mit einer langsamen und zitternden Handbewegung auf die Nase und inspizierte mich noch eingehender. Ich sprang auf die Füße und blickte ihn an.

«Gordon?» krächzte der Greis auf der Schwelle. «Mr. Richard Gordon?»

«Ja, Sir. Das ist mein Name, Sir», antwortete ich voll gewaltigen Respektes.

«Sie sind also gekommen, um in St. Swithin aufgenommen zu werden?» fragte der Alte langsam.

«Ja, Sir, so ist es.»

Er nickte, jedoch ohne jede Begeisterung.

«Ihr Vater war auch im Swithin, glaube ich?»

«Gewiß, Sir.»

«Ich bin nicht der Dean», erklärte er. «Ich bin der Sekretär der medizinischen Schule. Ich war hier schon lange Sekretär, bevor Sie noch geboren wurden, mein Junge. Wahrscheinlich auch schon vor der Geburt Ihres Vaters. Ich erinnere mich noch sehr gut daran, wie der Dean selber um seine Zulassung hierherkam.» Er nahm seinen Kneifer ab und wies mit ihm auf mich. «Ich habe Tausende von Studenten die Schule absolvieren gesehen. Einige von ihnen haben zum Guten ausgeschlagen, andere wieder zum Schlechten — es ist genau so wie bei den eigenen Kindern.»

Ich nickte aus Leibeskräften, beflissen, jedermann einen günstigen Eindruck zu machen.

«Und nun, mein Lieber», fuhr er etwas flotter fort, «muß ich Ihnen ein paar Fragen stellen.»

Ich faltete schicksalsergeben meine Hände und bekreuzigte mich im Geiste.

«Haben Sie eine Internatsschule besucht?»

«Ja.»

«Spielen Sie Rugby oder Fußball?»

«Rugby.»

«Glauben Sie, daß Sie für die Kosten werden aufkommen können?»

«Ja.»

Er grunzte und zog sich wortlos zurück. Wieder allein gelassen, ließ ich, zur Ablenkung meiner sorgenvollen Gedanken, meine Augen eingehend die Reihe der schwarz-weißen Deans entlangwandern und studierte jeden einzelnen. Nach ungefähr zehn Minuten kam der Alte zurück und führte mich dem leibhaftigen Gebieter der Schule vor.

Dr. Loftus war ein kleines, dickes, munteres Männchen mit weißen Haarsträhnen, die wie zerzupfte Baumwolle aussahen. Er saß an einem altmodischen Rollschreibtisch, auf dem ein wüstes Durcheinander von Heften, medizinischen Zeitschriften, Briefen und Nachschlagewerken herrschte. Darüber lagen ein Homburg-Hut, ein Paar gelbe Handschuhe und sein Stethoskop hingeworfen. Offenbar war er in Eile.

«Tut mir leid, daß ich Sie warten lassen mußte, mein Junge», sagte er aufgeräumt. «Ich wurde bei einer Totenschau aufgehalten. Nehmen Sie Platz.»

Ich ließ mich auf einem harten, mit Leder überzogenen Stuhl neben dem Schreibtisch nieder.

«Nun also», begann der Dean. «Haben Sie eine Internatsschule besucht?»

«Ja.»

«Können Ihre Leute für die Kosten, und was sonst noch alles dazugehört, aufkommen?»

«Ich glaube, ja.»

«Sie spielen Rugby, vermute ich?»

«Ja, Sir.»

Der Dean begann interessiert dreinzusehen.

«Ihre Position?» fragte er.

«Dreiviertelspieler.»

Er griff nach einem Papierwisch und kritzelte fünfzehn Punkte in der Rugby-Aufstellung darauf.

«Dreiviertelspieler . . .», murmelte er vor sich hin. «Wie alt sind Sie?» fragte er scharf.

«Fast achtzehn, Sir.»

«Hm, Erste Schulmannschaft?»

«Gewiß, Sir!»

Der Dean zog Striche zwischen seinen Punkten, kreuzte andere durch und blätterte raschelnd in einem Stoß maschinbeschriebenen Papiers, der neben ihm lag. Dann warf er sich in seinem Stuhl zurück und inspizierte mich eingehend von oben bis unten.

«Sie sind ziemlich dünn», stellte er fest. «Haben Sie wohl die erforderliche Geschwindigkeit?»

«Ich habe Pokale im Hundertmeterlauf bekommen!» sagte ich eifrig.

«Nun, Sie könnten sich ganz gut einfügen. Bin froh, daß Sie ein Dreiviertler sind. Das Spital ist voll von Stürmern», fügte er verächtlich hinzu.

Er runzelte noch ein paar Sekunden lang die Brauen in Betrachtung des vor ihm liegenden Wisches. Dann hellte sich plötzlich sein Gesicht auf, und ich erkannte, daß er zu einem Entschluß gekommen war: meine Hände umkrampften erwartungsvoll die Armstützen des Sessels. Er stand auf, schüttelte mir lebhaft die Hand und sagte, daß es ihm ein Vergnügen sei, mich in St. Swithin aufzunehmen.

Ich wunderte mich noch eine Zeitlang, wie er imstande gewesen war, aus diesen Fragen einen Entschluß darauf zu ziehen, daß ich alle Anzeichen für eine erfolgreiche Medizinerlaufbahn aufwiese, aber später kam ich darauf, daß sogar dieses kurze Interview überflüssig gewesen war, da der Dean sich stets von seinem alten Sekretär beraten ließ und den Bewerbern, deren Gesicht dem Alten nicht gefiel, erklärte, daß keine Plätze frei seien.

2

DIE MEDIZINISCHE SCHULE VON ST. SWITHIN WAR EIN ABLEGER DES Spitalsgebäudes und besaß einen eigenen Eingang auf der Hauptstraße. Sie war ein hoher, düsterer Bau und umfaßte drei Stockwerke mit Laboratorien, einem Seziersaal, einem Hörsaal, der ständig in Staub gehüllt war, und den übelriechendsten Klosetten des ganzen Bezirks.

Die Schule verdankte ihre Einrichtung einem der reichsten Bierbrauer Londons, der durch eine glückliche Schicksalsfügung an einem schlüpfrigen Wintermorgen des Jahres 1875 vor dem Spitalstor überfahren worden war. Er erlangte in der Betreuung des Spitals wieder seine volle Gesundheit und Bewegungsfähigkeit, und um seine Dankbarkeit zu bezeugen, erwarb er sich im folgenden Jahr den Pairstitel, indem er die Schule stiftete. Heute war der Bau viel zu alt, dunkel und klein, um den Anforderungen zu genügen, aber da das Spital wenig Chancen hatte, daß sich der Unfall wiederholte, war es unmöglich, es abzureißen.

Anfang Oktober versammelten sich dort dreißig frischgebackene Studenten, um die Begrüßungs- und Einführungsansprache des Deans anzuhören. Ein neues und glänzendes Heft mit Abreißblättern unterm Arm, erstieg ich zum erstenmal die steinernen Stufen und betrat den düsteren kleinen Vorraum. Über der Türe war der Name des Bierbrauers, zum Zeichen der immerwährenden Dankbarkeit des Spitals, in Stein gemeißelt; in Grün und Gold kehrte er wieder an der Front des Gasthauses «Zum König Georg» auf der gegenüberliegenden Seite der Straße. Unterhalb des eingemeißelten Titels waren das internationale Firmenzeichen der Ärzteschaft, der von Schlangen umwundene Flügelstab, sowie der entmutigende Ausspruch des Hippokrates «Die Kunst ist lang» angebracht.

Im grün und gelb ausgemalten Vorraum befand sich ein kleiner Kiosk mit der Aufschrift «Auskunft», in dem ein Pförtner unzugänglich eingeschlossen saß, da er das Fenster herabgelassen hatte, diesem den Rücken zudrehte und den *Daily Mirror* mit nicht abzulenkender Aufmerksamkeit las. Dann gab es noch eine kurze Reihe von Kleiderhaken, reich behängt wie Obstbäume im August, und eine lange Anschlagtafel, die dicht mit einander überdeckenden Zetteln besät war.

Ich warf im Vorübergehen einen Blick auf die Tafel, da ich mich irgendwie dazu leise verpflichtet fühlte. Die Ankündigungen bestanden aus einem wüsten Durcheinander maschingeschriebener offizieller Informationen über Vorlesungen, Prüfungen und dergleichen, und aus von Notizbüchern herausgerissenen Papierfetzen, die die Studenten bekritzelt hatten. Diese illustrierten die erschütternden Unterströmungen im Leben der Medizinstudenten im selben Maße, wie es die Seufzerspalte in den *Times* bei den verschämten Armen des Mittelstandes besorgt. Der erste Wisch, der meinen Blick auf sich zog, war mit grüner Tinte beschrieben und enthielt folgende verärgerte Worte: «Würde jener Gentleman» (viermal dick unterstrichen), «der vergangenen Donnerstag meinen Regenschirm aus dem Physiologie-Labor mitgehen ließ, ihn mir gefälligst zurückbringen? Womit soll ich mir einen neuen kaufen?» Daneben hing eine verblaßte Einladung an zwei Studenten, sich während der Ferien zusammenzutun, um in Edinburgh ein Abdomen zu sezieren, mit dem verheißungsvollen Zusatz: «Bude und Abdomen bereits gesichert. Gute Wirtshäuser.» Da gab es Verzeichnisse zum Verkauf stehender Lehrbücher, voll Hochgefühl von jenen verfaßt, die ihre Prüfungen absolviert und es daher nicht mehr notwendig hatten, weiterzulernen; einige dringende gedruckte Aufrufe um Beiträge zur christlichen Studentenvereinigung; und eine Anzahl unerfüllter Wünsche, nach einem zergliederten Fuß etwa oder nach einem billigen Motorrad.

Eine auf die Wand gemalte Hand deutete aufwärts: «Zum Hörsaal». Es führte eine schmale, schraubenförmig gewundene eiserne Stiege hinan, die in Finsternis endete. Ich erklomm sie und befand mich vor einer trübsinnigen braunen Türe, deren Angeln beim Öffnen heftig quietschten.

Die Tür führte zur Rückseite eines steilen Aufbaus schmaler hölzerner Bänke, die vom Vortragspult in die Höhe strebten wie die Tribünen eines Fußballplatzes. Hinter dem Pult waren drei große schwarze Tafeln an den Wänden befestigt, die ansonsten der Länge nach mit fleckigen Holzplatten verschalt waren. Die

Decke verlor sich in einem Hin und Her dünner Eisenträger, an denen ein halbes Dutzend elektrischer Kugellampen aufgehängt war, die das spärliche Licht ergänzen sollten, das durch die unter den Dachrinnen angebrachten Fenster hereinträufelte.

Ich ließ mich schüchtern auf dem äußersten Ende der letzten Bankreihe nieder. Die meisten der neuen Studenten waren bereits eingetroffen und hatten sich da und dort auf den ansteigenden Bänken verstreut. Einige schienen einander zu kennen und führten leise Gespräche. Die übrigen saßen einzeln und schweigend da und starrten leeren Blickes auf die Tafeln, einer Kirchengemeinde gleich, die auf den Gottesdienst wartet.

Wir waren so bunt durcheinandergewürfelt wie ein Fähnlein Rekruten. Die meisten Studenten standen in meinem Alter, aber in der unmittelbar vor mir befindlichen Reihe kritzelte ein kahlköpfiger Mann mittleren Alters mit Bleistift ein paar private Notizen in ein Schmierheft; von Zeit zu Zeit sprang er auf, sah unruhig um sich und zappelte wie ein Schulmädel. Der einzige, der außer mir in meiner Bank saß, war ein bleicher Jüngling mit zerzaustem Rotschädel, der wie fünfzehn aussah und den «Ursprung der Arten» mit beängstigender Konzentration las.

Die Wanduhr über dem Vortragspult stand schon auf zwanzig nach zehn: der Dean hatte sich wieder einmal verspätet. Wir entdeckten in der Folgezeit, daß dies regelmäßig der Fall war, da er seine vollkommene Überlegenheit über die Studenten dadurch betonte, daß er bei allen Zusammenkünften gewissenhaft unpünktlich war. Ich starrte noch immer erwartungsvoll auf die Tafeln, als die Tür hinter mir kreischte und ein Student eintrat.

«Haben Sie was dagegen, wenn ich mich noch hineinzwänge?» fragte er. «Ich hasse es, weit weg vom Ausgang zu sitzen.»

Hastig rutschte ich auf der harten Bank weiter. Der Neue schien sich in dieser Umgebung so zu Hause zu fühlen, daß man den Eindruck gewann, er sei das Familienoberhaupt der anderen wartenden Studenten. Jedenfalls unterschied er sich in seiner Erscheinung von ihnen. Er war ein großer, gut aussehender junger Mann mit dichtem schwarzem Haar und einem kleinen Schnurrbart. Er trug ein langes braunes Sportsakko, enge Kordhosen, ein grünes Hemd und anstatt einer Krawatte ein gelbes Seidentuch. Er stellte einen polierten schwarzen Spazierstock neben sich, entnahm seiner Brusttasche ein Monokel und betrachtete durch dieses, sichtlich angeekelt, seine Kollegen.

«Großer Gott», sagte er.

Darauf schlug er ein Exemplar der *Times* auf und begann darin zu lesen.

Im Raum herrschte für weitere zehn Minuten bedrücktes Schweigen, welches nur vom geräuschvollen Umblättern meines neuen Nachbars unterbrochen wurde.

Um halb elf, eine halbe Stunde verspätet, öffnete sich eine schmale Türe hinter dem Pult, und der Dean platzte herein, eitel Lächeln und Herzlichkeit. Er stand einen Augenblick da und strahlte die Studenten an wie ein Bischof, der seine künftigen Firmlinge in Augenschein nimmt.

Der Dean hatte sich nicht nur verspätet, er war auch in rasender Eile. Er hieß uns kurz in St. Swithin willkommen, machte ein paar Bemerkungen über die Geschichte und Tradition des Hauses, streifte blitzartig die ethischen Werte des Mediziner-Berufes und erklärte, daß uns künftighin die ärztliche Schweigepflicht sowie das Verbot auferlegt sei, uns mit den weiblichen Patienten einzulassen, Abtreibungen vorzunehmen oder den Rasen des Spitalgartens zu betreten. Nachdem er seinen Zuhörern abschließend ein paar ermunternde Worte zugeworfen hatte, schoß er davon. Seine Ansprache hatte siebzehn Minuten gedauert, und der Student neben mir nahm die Anwesenheit des Deans nur insofern zur Kenntnis, daß er seine Zeitung zweimal faltete und sie unter der Deckung seines Vordermannes las.

«Oh, er ist fertig, nicht wahr?» sagte er, als ihn das Füßescharren der aufstehenden Studenten aufscheuchte. Er guckte durch sein Monokel auf die Uhr. «Hm», bemerkte er. «Er hat seine bisherige Bestzeit um drei Minuten unterboten. Hat er vielleicht die Passage über die Spitalstraditionen ausgelassen?»

«Nein», erwiderte ich. «Er hat eigentlich eine ganze Menge darüber zu sagen gehabt.»

Der Student zog seine unbesetzte Braue hoch. «Wirklich? Dann hat er seinen Vortrag beschleunigt. Ich wette, nächstes Jahr schafft's der Alte in einer geschlagenen Viertelstunde.»

Dieser überlegene junge kritische Geist flößte mir Scheu ein, aber ich konnte nicht umhin, ihm eine Frage zu stellen.

«Haben Sie denn die letzte Ansprache gehört?» fragte ich zögernd. «Ich meine, sind Sie denn nicht wie wir erst heute ins Spital gekommen?»

«Das ist das vierte Mal, daß ich den alten Lofty sein Sprüchlein aufsagen höre», erwiderte er mit der Andeutung eines Lächelns. «Ich wäre heute gar nicht erschienen, wenn ich nicht die

Daten durcheinandergebracht hätte. Ich hab' eine Anatomie-Vorlesung erwartet.»

Die anderen Studenten waren an uns vorbei durch die Türe marschiert und klapperten die eiserne Treppe hinunter. Wir standen auf und schlossen uns als letzte dem Zuge an.

«Sie müssen ein sehr vorgeschrittener Student sein», meinte ich respektvoll.

«Durchaus nicht, mein Junge.» Mein Begleiter schubste geistesabwesend mit seinem Stock ein zusammengeknülltes Papier zur Seite. «Ich bin um kein Stückchen vorgeschrittener als Sie, und am Ende des Jahres werden Sie mich wahrscheinlich hier wiederfinden.»

«Aber», rief ich, als ich hinter ihm die Treppe hinunterstieg, «wenn Sie doch schon auf ein vierjähriges Studium zurückblicken können...»

Er lachte.

«Ach, die liebe Ahnungslosigkeit der Jugend! Vier Jahre Studium oder, zumindest, vier Jahre zeitweiser Anwesenheit in der medizinischen Schule sind vollkommen bedeutungslos. Die Prüfungen, mein Lieber, auf die Prüfungen kommt's an», erklärte er mit Nachdruck. «Sie werden schon sehen, daß man Ihr Vorwärtskommen im Spital unter Kontrolle halten wird wie die Signale an einer Eisenbahnstrecke – Sie können nicht zur nächsten Zone gelangen, wenn man gegen sie arbeitet. Ich bin nun zum viertenmal in der Anatomischen durchgefallen», fügte er aufgeräumt hinzu.

Ich kondolierte ihm zu diesem vierfachen Mißgeschick.

«Sparen Sie sich Ihr Mitgefühl, Alter. Ich weiß es zu schätzen, aber Sie vergeuden es. Meine sämtlichen Versager wurden auf Grund sorgfältiger Überlegung bewerkstelligt. Übrigens ist es viel schwieriger, in einer Prüfung geschickt durchzufallen, als das verdammte Zeug zu bestehen. Den Eindruck zu erwecken, daß man gerade diesmal wieder bei der Wahl der Fragen Pech gehabt hat, wissen Sie... Kommen Sie auf ein Glas Bier mit. Der ‹König Georg› wird offen haben.»

Wir überquerten die Straße, und der erfahrene Prüfling stieß die Türe der Trinkstube mit seinem Stock auf. Ich war mittlerweile zur Überzeugung gekommen, daß der medizinische Studiengang eine weitaus kompliziertere Angelegenheit war, als ich mir vorgestellt hatte.

Der «König Georg» war eines jener dunklen, gemütlichen, schäbigen kleinen Wirtshäuser, die, wie die Bierwagen und der Säuferwahnsinn, von der Bühne der Londoner Zechbrüderschaft zu verschwinden scheinen. Die kleine Bar war ein Konglomerat aus dunkler Holzvertäfelung und dicken Spiegelscheiben, die ein Dekor von vergoldeten Schwertlilien trugen. Die schmutzig-weiße Decke ballte sich zu Gipsrosetten, die Lampen sproßten an kurvenreichen Metallstielen aus der Wand, und in einer Ecke schmachtete eine blasse Palme in einem großen Messingkübel.

Der Einfluß, den das Spital auf den «König Georg» ausübte, sprang einem sofort ins Auge. Die Wandflächen zwischen den Spiegeln waren mit gerahmten Photographien verflossener Rugby- und Cricketteams bedeckt, aus denen einen mehrere hundert junge Männer herausfordernd anstarrten, die nun als achtenswerte und alternde Ärzte allenthalben im Lande ihre Praxis ausübten. Der Rugbyball, mit dem die Swithin-Mannschaft einst drei Jahre hintereinander den Spitalspokal errungen hatte, war wie ein ausgestopfter Hecht in einem Glaskasten auf der Bar ausgestellt. Daneben hing ein großer altmodischer Feuerwehrhelm aus Messing. Hinter den Bierhähnen starrte ein dicker alter Mann, der eine Schürze, eine Weste und einen grauen Schlapphut trug, trübsinnig in die leere Stube.

«Guten Morgen, Padre!» rief mein Führer heiter.

Der Alte hieß ihn mit einem Lächeln willkommen und streckte ihm die Hand über die Theke hinweg entgegen.

«Guten Morgen, Sir!» rief er. «Nun, das ist ein Labsal, Sie wieder einmal hier zu sehen! Offenbar, um das neue Semester zu beehren, nicht wahr, Sir?»

«Jeden Herbst kehre ich pflichtgetreu zu meinen Studien zurück, Padre. Erlauben Sie, daß ich Ihnen einen neuen Studenten vorstelle — wie ist Ihr Name, Alter?»

«Gordon — Richard Gordon.»

«Mr. Gordon, Padre. Ich heiße übrigens Grimsdyke», erklärte er.

Der Wirt schüttelte mir herzlich die Hand.

«Sehr erfreut, Sie kennenzulernen, Sir!» sagte er warm. «Ich hoffe, wir werden in den nächsten fünf bis sechs Jahren noch mehr von Ihnen sehen, eh? Was soll's denn sein, die Herren?»

«Für mich ein Bitteres», sagte Grimsdyke, indem er sich auf einem hölzernen Sessel niederließ. «Sie auch?»

Ich nickte.

«Ich sollte eigentlich erklären», fuhr Grimsdyke fort, während der Wirt die Gläser füllte, «daß der Herr hinter der Theke in Wirklichkeit Albert und noch irgendwie heißt, ich glaube...»

«Mullins, Sir.»

«Mullins, richtig. Aber kein Mensch im Swithin hätte die leiseste Idee, wen man damit meint. Seit Menschengedenken ist er als der Padre bekannt ... wie viele Jahre bewirten Sie hier schon die Zecher, Padre?»

«Fünfunddreißig, Sir, gerade jetzt.»

«Na also! Er erinnert sich an die Zeiten, da die jetzigen Chefärzte selber noch Studenten waren — und, nach allem, was man so hört, eine ziemlich wüste Bande. Da war doch die Geschichte, wie Loftus einen Karrengaul in das Schlafzimmer der Oberin führte ...»

Der Padre kicherte laut.

«Das war wirklich eine tolle Nacht, Sir! Sowas passiert jetzt leider Gottes nicht mehr!»

«Nun, schaun Sie sich das Bier an, das Sie jetzt ausschenken», sagte Grimsdyke vorwurfsvoll. «Jedenfalls», wandte er sich an mich, «gehört diese Kneipe nun ebenso unerläßlich zum Spital wie der große Operationssaal.»

«Aber warum heißt er Padre?» fragte ich vorsichtig.

«Oh, diese Bezeichnung brachten die Anstaltsärzte auf. Man kann ohne Aufsehen zu erregen vor den Patienten sagen: ‹Heute abend um sechs mach' ich einen Sprung in die Kapelle›, wohingegen die Guten sich schlimme Vorstellungen machen würden, wenn sie auf die Idee kämen, daß ihre Ärzte saufen. Übrigens übt der Alte auch sowas wie geistliche Funktionen aus. Er ist eine Art Beichtvater und väterlicher Freund für die Jungens — Sie werden schon selber draufkommen, bevor Sie noch lange hier sind.»

Ich nickte zustimmend zu dieser Information. Eine Minute lang tranken wir schweigend unser Bier.

«Da ist noch etwas ...», begann ich.

«Sprechen Sie nur, mein Bester. Ich freue mich immer von ganzem Herzen, wenn ich neuen Studenten irgendwie an die Hand gehen kann. Schließlich bin ich selber einer gewesen, und heute bin ich's zum fünftenmal.»

Ich wies schweigend auf den schimmernden Messinghelm.

«Ach ja, bei Gott, der ehrwürdige Helm von St. Swithin! Gefürchtet und begehrt von allen medizinischen Schulen Londons. Das müssen Sie wissen, bevor Sie alles andere angehen. Wie er hierherkam, weiß kein Mensch. Er war länger, als selbst der Padre zurückdenken kann, im Besitz des Rugby-Klubs, daher vermute ich, daß einer der Jungens ihn vor Jahren in einer Samstagnacht hat mitgehen lassen. Übrigens ist er nun zu einem Totem, einem Fetisch, einem Flammenkreuz geworden. Vor den großen Kämpfen gegen die Guy's oder die Mary's oder dergleichen wird der Helm auf die Marklinie gelegt, um Glück und Inspiration zu bringen. Nachher wird er mit Bier angefüllt und der Reihe nach von jedem Mitglied der Mannschaft geleert.»

«Da geht wohl eine Menge Bier hinein?» fragte ich nervös.

«Gewiß! Jedoch anläßlich von Promotionen, Verlobungen, Geburtstagen, Hochzeiten oder Todesfällen reicher Verwandter wird das Ding heruntergenommen, und der Betreffende wird von seinen Freunden auf einen Helmvoll Bier freigehalten. Sind Sie verlobt oder verheiratet?» fragte er plötzlich.

«Großer Gott, nein!» rief ich. Ich war ganz bestürzt. «Ich habe doch jetzt erst die Schule verlassen!»

«Nun... ich stehe jetzt immerhin vor diesem Problem. Aber, um zu unserem Helm zurückzukehren: oft versuchten die Herren minderer Institute, ihn zu stehlen — in der letzten Spielzeit hatten wir eine regelrechte Rauferei mit einer Rowdybande von Bart's. Im Vorjahr brachten ihn einmal ein paar Kerle von Tommy's fast bis zur Themse, aber wir kämpften ihn ihnen bei der Westminster Bridge wieder ab. Bei Zeus, das war ein Abend!» Er lächelte in der Erinnerung daran. «Einer der Burschen zog sich eine Unterkieferfraktur zu. Wollen Sie noch ein Bier?»

Ich schüttelte den Kopf.

«Nein, danke. Ich trinke nicht viel, müssen Sie wissen. Eigentlich überhaupt nicht. Nur wenn ich einen langen Spaziergang oder was Ähnliches hinter mich gebracht hab' und ich durstig bin.»

Ich sah, wie Grimsdyke zusammenzuckte.

«Natürlich, man muß bedenken...», begann er. «Sie werden sich schon nach einer kleinen Weile in St. Swithin genug schlechte Gewohnheiten aneignen, damit das Leben erträglich wird. Wir haben jedoch dazu noch hinreichend Zeit. Padre», rief er, «noch ein Halbes, bitte!»

«Können Sie mir sagen...», stotterte ich, im Bestreben, alle möglichen Informationen aus meinem Begleiter herauszuziehen, solange er mitteilsam war.

«Ja?»

«Wa... warum fallen Sie absichtlich bei den Prüfungen durch?» Grimsdyke setzte eine unergründliche Miene auf.

«Das ist mein kleines Privatgeheimnis», sagte er, sich in Dunkel hüllend. «Vielleicht weihe ich Sie eines Tages ein, Alter.»

Ich erfuhr Grimsdykes kleines Geheimnis früher, als er sich erwartete. Es war in der medizinischen Schule allgemein bekannt und sickerte zu den Studenten des ersten Jahrgangs schon ein paar Wochen nach ihrem Eintritt durch.

An Grimsdykes Abneigung, die Prüfungen zu bestehen, trug ausschließlich seine Großmutter schuld, eine begüterte alte Dame, die ihren sich recht lange hinziehenden Lebensabend in Bournemouth verbracht hatte. Da sie sich mit nichts Gescheiterem zu beschäftigen wußte, züchtete sie eine umfangreiche Auswahl von Leiden, welche, nach angemessener Zeit, durch die kostspielige Betreuung ihrer entzückenden Ärzte gelindert wurden. Ihre Achtung für den Beruf des Mediziners steigerte sich mit jeder Indisposition und wurde nur durch das Bedauern beeinträchtigt, daß es keinen Arzt unter den männlichen Mitgliedern der Familie gab. Der einzige, der diese Unterlassungssünde hätte gutmachen können, war der junge Grimsdyke, und so verfiel sie noch während seiner Schulzeit auf die Idee, ihn zu diesem Beruf zu verlocken, indem sie für die Kosten seines Studiums aufkommen wollte. Leider Gottes züchtete Großmutter kurz darauf eine Krankheit, die die Fähigkeiten ihrer Ärzte überstieg, und verschied; aber ihr Testament enthielt eine Klausel, die dem jungen Mann einen Tausender jährlich für die Zeit seines medizinischen Studiums aussetzte.

Grimsdyke war sich nicht sofort der vollen Bedeutung dieser Sache bewußt geworden und hatte schon das Studium des ersten Jahres in St. Swithin in Angriff genommen, als es ihm aufdämmerte, daß er eigentlich eine ausgezeichnete Gelegenheit hätte, den Rest seines Lebens bei einer auskömmlichen Rente in London zu verbringen, ohne sich die lästige Verpflichtung aufzuhalsen, etwas zu arbeiten. Er wandte daher die größte Mühe daran, bei den Prüfungen durchzufallen. Er kam ein- bis zweimal wöchentlich ins Spital, zahlte pünktlich die Studiengelder und führte sich gut auf, was für St. Swithin genügte. Er besaß eine eigene Wohnung in Knightsbridge, einen alten Zweisitzer (der unter dem Namen «Das Geschwür» bekannt war, weil er ihm immer wieder von neuem zu schaffen machte), eine große Anzahl Freunde und eine Menge Freizeit. «Ich glaube manchmal», pflegte er im intimen Freundeskreis zu gestehen, «daß ich das Geheimnis gefunden habe, in Anmut ein Leben der Freuden zu führen.»

Ungefähr zu der Zeit meines Eintritts in die medizinische Schule begannen jedoch Grimsdykes herrlich freie Tage etwas eingeschränkter zu werden. Er hatte sich in ein Mädel verliebt und sich

23

um sie beworben, aber sie war eine kluge junge Frau und entdeckte nicht nur das Geheimnis seiner Lebensführung, sondern weigerte sich auch, ihn zu erhören, außer er änderte diese.

«Einen embryonalen Arzt, ja», erklärte Grimsdyke wehmutsvoll, «aber keinen chronischen Sitzenbleiber in einer medizinischen Schule. Ich stand unter dem Zwang, hinzugehen und ein paar Bücher zu kaufen. Die Macht der Weiber, mein Lieber. Ihretwegen erklimmen die Männer Bergriesen, schlagen Schlachten, arbeiten und tun, was es sonst noch Unerfreuliches gibt.»

Sie muß wohl die Persönlichkeit eines barbarischen Sklavenhalters besessen haben, denn von da an widmete er sich seinen Studien mit derselben Begeisterung wie alle andern im Spital.

3

DA AM TAG DER ANSPRACHE DES DEANS KEINE VORLESUNGEN ANGEsetzt waren, hatte ich den Nachmittag für mich. Ich stahl mich leise aus dem «König Georg» davon, kurz nachdem ein Trupp älterer Studenten hereingeplatzt war und ein geräuschvolles Gelage mit Grimsdyke begonnen hatte. Es beunruhigte mich, wie meine neuen Kameraden da leichten Herzens die Bierschoppen in sich hinuntergossen. Ich trank sehr wenig, denn ich hatte erst kürzlich die Schule verlassen und war von der Vorstellung besessen, daß mehr als zwei Glas Bier dem Rugby abträglich seien und zu einem ebenso verhängnisvollen sittlichen Verfall führen könnten.

«Sie wollen sich also — ähem — dem Medizinstudium zuwenden?» hatte mich mein Aufsichtslehrer im letzten Trimester gefragt.

«Ja, Sir.»

«Ein sehr — ähem — geschätzter Beruf, Gordon, wie Sie wissen müßten. Nur finde ich, daß unseligerweise die Mittel zu seiner Ergreifung einen schlechten Einfluß auf die Jungen ausüben, selbst wenn diese die ausgezeichnetsten Charaktereigenschaften besitzen. Zweifellos ist die Tatsache, daß man sich dabei täglich mit den — ähem — fundamentalen Dingen des Lebens zu befassen hat, etwas wie eine Entschuldigung. Dennoch muß ich Sie dringendst mahnen, konstant die äußerste Zurückhaltung zu üben.»

«O gewiß, Sir. Das will ich natürlich tun, Sir.»

«Vermutlich werden Sie bald so arg wie die andern sein», seufzte er. Diese geringe Meinung von den Medizinstudenten stamm-

24

te größtenteils aus den Tagen, da er Theologievorlesungen in Cambridge gehalten hatte und bei einem Versuch, einmal spät nachts eine lärmende Gesellschaft von Medizinern in den anstoßenden Räumen aufzuheben, gezwungen worden war, sich einem Klistier mit Guinness-Starkbier zu unterziehen.

Ich lunchte allein in einem Büfett und wanderte dann zu einer medizinischen Buchhandlung nach Bloomsbury, um einige Lehrbücher zu erstehen. Ich benötigte ein Exemplar von Grays «Anatomie»; sie war die Bibel der Medizinstudenten und auf dem Gebiete der Anatomie eine ebenso unfehlbare Autorität wie Hansard auf dem der Parlamentsdebatten. Als ich das Buch erblickte, sank mir das Herz in die Hose. Ich durchblätterte die zweitausend Seiten im Großformat, voll detaillierter anatomischer Beschreibungen, in die prachtvoll kühne Zeichnungen gelber Nerven, knallroter Arterien und blauer Venen eingestreut waren; sie schlängelten sich durch zergliederte braune Muskeln, die sich wie die Blütenblätter einer aufbrechenden Blume öffneten. Ich fragte mich, ob man sich je all die winzigen Details merken könnte, die zwischen den beiden Buchdeckeln enthalten waren, so zahllos wie die Körner in einem Weizensack. Ich kaufte außerdem noch eine Reihe Bände mit Anleitungen zum Sezieren, ein dickes Werk über Physiologie, voll Illustrationen und Fotos vivisezierter Kaninchen, und das Buch mit Sir William Oslers Reden an Medizinstudenten.

«Wünscht der Herr noch etwas?» fragte der Verkäufer höflich.

«Ja», sagte ich. «Ein Skelett. Haben Sie zufälligerweise ein Skelett?»

«Bedaure, mein Herr, die Skelette sind augenblicklich ausgegangen. Die Nachfrage nach ihnen ist speziell in dieser Jahreszeit außerordentlich groß.»

Den Rest des Nachmittags verbrachte ich mit der Suche nach einem Skelett, das ich mir abends beim Studium der anatomischen Lehrbücher zu Gemüte führen wollte. Ich fand endlich eins in einem Laden in der Nähe der Wigmore Street und nahm es in meine Bude mit. Die meisten Hauswirtinnen waren es ja gewohnt, einen Totenschädel auf dem Kaminsims und einen Haufen ausgedörrter Knochen in einer Zimmerecke abstauben zu müssen, aber Studenten, die ein Quartier bezogen, das vorher von so harmlosen jungen Männern wie Jus- oder Theologiejüngern bewohnt worden war, wurden doch manchmal hinausgeworfen, weil ihre Ausstattung den guten Damen täglich neue Schauer des Entsetzens einjagte.

Während der zwei ersten Studienjahre dürfen die Medizinstudenten lebenden Patienten nicht in die Nähe kommen. Sie erlernen die Fundamente ihrer Kunstfertigkeit an toten, ohne dabei Schaden stiften zu können. Am Morgen, der der Ansprache des Deans folgte, hatte sich der neue Lehrgang im Seziersaal der anatomischen Abteilung eingefunden, um mit der Arbeit des ersten Semesters zu beginnen.

Der Seziersaal war ein hoher, schmaler Raum im Erdgeschoß der medizinischen Schule, der einen starken Geruch nach Karbolsäure und Formaldehyd ausströmte. Die eine Wand nahm eine Reihe hoher Milchglasfenster ein, und die fluoreszierenden Lampen, die reihenweise von der Decke herabhingen, verliehen selbst den Studenten ein totenähnliches, blausüchtiges Aussehen. Die Wand gegenüber den Fenstern trug eine lange schwarze Tafel, die mit anatomischen Detailzeichnungen in farbiger Kreide bedeckt war. In der einen Ecke befand sich ein Gestell mit eingeweckten Präparaten — den Einmachgläsern im Regal eines Krämerladens vergleichbar —, und in einer anderen grinste ein Pärchen Skelette einander an, an Galgen aufgehängt wie die abschreckenden Überreste von Straßenräubern. Ein Dutzend hohe, schmale, glasbelegte Tische standen in zwei Reihen der Länge nach im Saal. Und auf den Tischen lagen, in verschiedenen Stadien der Zergliederung, sechs oder sieben sezierte Männer und Frauen.

Ich sah mir zum erstenmal Leichen neugierig an. Sie glichen eher Mumien als kürzlich verstorbenen Menschen. Es waren durchwegs die Leichname alter Leute, und das Konservierungsverfahren, dem man sie unterzogen hatte, hatte sie noch runzeliger werden lassen, als es schon das Altern besorgte. Vier unberührte Exemplare harrten in ihrer Nacktheit des neuen Lehrgangs; an den anderen Tischen jedoch waren die vorgeschritteneren Studenten schon an der Arbeit. Einige von ihnen waren bereits so weit, daß ein ahnungsloser Zuschauer wie ich die Partie, die sie sezierten, nicht mehr identifizieren konnte; und hier und da durchbrach eine verdorrte und verkrampfte Hand in stummem Flehen eine dichte Gruppe geschäftig Sezierender.

Wir standen nervös in der Türe und warteten auf die Anweisungen des Anatomieprofessors. Jeder von uns trug einen frisch gestärkten weißen Ärztemantel und eine kleine Rolle aus Zellstoff, in der sich eine Zange, ein wohlgeschliffenes Skalpell und eine kleine Sonde aus Draht, die in einem Federhalter steckte, befanden. Die anderen nahmen uns überhaupt nicht zur Kenntnis, um ihr Überlegenheitsgefühl über uns Neulinge zu betonen.

Der Professor genoß den Ruf eines akademischen Captain Bligh. Er war einer der gelehrtesten Anatomen des Landes, und seine Auslassungen über die Evolution des Hyoid-Beines im Kehlkopf wurden von den Medizinstudenten in den Seziersälen von San Franzisko bis Sydney zitiert. Sein Gelehrtenruhm wurde jedoch von seinen Hörern wenig gewürdigt, weil sie sich alle vor ihm fürchteten.

Er besaß einige enervierende kleine Eigenheiten. Aus irgendeinem Grund versetzte ihn zum Beispiel der Anblick eines Studenten, der die Schule mit den Händen in den Hosentaschen betrat, in Weißglut. Sein Privatzimmer befand sich neben dem Haupteingang; es war daher wie dazu geschaffen, daß er jeden, den er durch sein Fenster derart auf das Gebäude zuschlendern sah, anspringen und bei den Schultern packen konnte. Er pflegte den Betreffenden dann zu schütteln und mehrere Minuten lang zu beschimpfen, bevor er in sein Zimmer zurückkehrte und dem nächsten auflauerte. Den Studenten war diese Gewohnheit keineswegs angenehm, aber man konnte nichts dagegen unternehmen, da der Professor, der überdies den Vorsitz bei den Prüfungen führte, die oberste Justizgewalt über die anatomische Schule innehatte.

Plötzlich erschien der Professor, durch seinen Privatzugang eintretend, im Seziersaal. Das Summen der Gespräche an den Tischen brach mit einemmal ab, und verbissene, schweigende Aktivität trat an ihre Stelle.

Einige Augenblicke stand er da und faßte seine neue Klasse aus der Nähe ins Auge. Was er da sah, behagte ihm offenbar gar nicht. Er brummte, und nachdem er ein Blatt Papier aus der Tasche seines weißen Mantels gezogen hatte, las er unsere Namen mit einer Stimme herunter, aus der Grobheit und Ekel herauszuhören waren. Er war ein großer, dünner Mann von der Gestalt eines Torpedos. Sein kahler Schädel endete in einer Spitze, und sein Rumpf verbreiterte sich kegelförmig gegen seine kleinen Füße hin, die irgendwo weit unten hervorsahen. Er trug einen räudigen rötlichen Bart.

Er steckte die Liste mit den Namen wieder in die Tasche.

«Jetzt paßt auf, Burschen», begann er streng. «Ihr befindet euch in dieser Abteilung, um zu *arbeiten,* verstanden? Ich bin nicht einen Augenblick gesonnen, hier Schlappschwänze zu dulden. Die Anatomie ist ein schwieriges Ding — ihr könnt sie nur erlernen, wenn ihr euch dahintersetzt. Sehe ich einen Faulpelz hier . . .», er deutete mit seinem Daumen über die Schulter, «hinaus mit ihm! Verstanden?»

Wir nickten nervös wie ein Häuflein Rekruten, das zum erstenmal dem Drill des Unteroffiziers unterworfen wird.

«Und ich will keinen von euch Burschen mit den Händen in den Hosentaschen herumlatschen sehen! Das können sich Laufburschen und Zuhälter leisten, aber von euch setzt man voraus, daß ihr Medizinstudenten seid. Diese Haltung ist nicht nur unanatomisch, sondern sie führt auch in den mittleren Jahren zu einer Osteoarthritis des Schultergürtels. Kein Wunder, wenn einmal ein Haufen deformierter Krüppel aus euch wird! Ich weiß, daß ich häßlich bin, aber ich kann gerade stehen, und das können die wenigsten von euch. Habt ihr mich verstanden?»

Wir beeilten uns, zu bejahen.

«Gut. Also beginnt zu arbeiten. Die Liste der zu sezierenden Teile steht dort auf der Tafel.»

Ein letzter durchbohrender Blick auf uns, und er verschwand durch seine Türe.

Für den ersten Arbeitsabschnitt war mir ein Bein zugewiesen worden. Wir hatten paarweise zu sezieren, zwei Leute an je einem Stück. Mein Partner war ein Student namens Benskin — ein riesiger Kerl mit sandfarbenem Haar, der unter seinem weißen Mantel ein grünkariertes Hemd sowie eine rote Krawatte, die mit gelben Hündchen gemustert war, trug.

«Hallo», sagte Benskin.

«Guten Morgen», erwiderte ich höflich.

«Sind Sie auf dem Gebiet der Mysterien des anatomischen Sezierens bewandert?» fragte er.

«Nein. Keine Ahnung.»

«Ich auch nicht.»

Wir blickten einander schweigend einige Sekunden an.

«Vielleicht sollten wir die Anweisungen im Handbuch durchlesen?» schlug ich vor.

Wir setzten uns auf zwei hohe hölzerne Stühle und lehnten das Buch an den Schenkel der Leiche auf dem Tisch. Nachdem wir etliche einleitende Seiten überschlagen hatten, stießen wir auf die Abbildung eines plumpen Beines mit kühn darübergelegten roten Linien.

«Das scheint unser Einschnitt zu sein», sagte ich, indem ich auf eine der Linien deutete. «Wollen Sie beginnen, oder soll ich es tun?»

Benskin machte eine großzügige Bewegung mit seiner Pranke. «Los», sagte er.

Ich schöpfte tief Atem und tupfte mit dem Skalpell leicht auf die schmierige rauhe Haut. Es machte einen langen, schwungvollen Einschnitt.

«Ich glaub', ich hab's falsch angegangen», sagte ich nach einem Blick auf das Buch.

«Schaut nicht ganz so wie am Bild aus», gab Benskin zu. «Vielleicht sollten wir uns um eine Hilfe umsehen.»

Es gab zwei Prosektoren im Seziersaal — junge Ärzte, die gegen geringen Lohn trübselige Jahre in der anatomischen Abteilung verbrachten, voll der Hoffnung, in mittleren Jahren einmal dem chirurgischen Stab St. Swithins zugeteilt zu werden. Sie flitzten wie Bienen über einem Blumenbeet von einer Studentengruppe zur anderen, um alle mit Kenntnissen zu bestäuben. Beide waren von unserem Tisch weit entfernt.

In diesem Augenblick gewahrte ich Grimsdyke, der in einem glänzenden krachsteifen Mantel zwischen den Sezierenden herumschlenderte, wie ein Engländer in einem Basar zu Suez. Er winkte mir lässig zu.

«Wie kommen Sie weiter?» fragte er und kam zu unserem Tisch herüber. «Großer Gott, das ist das Ganze?»

«Es ist furchtbar schwer», erklärte ich. «Sehen Sie, wir wissen nicht, wie wir beginnen sollen. Könnten Sie uns ein bißchen an die Hand gehn?»

«Aber gewiß, mein Lieber», sagte Grimsdyke und ergriff ein Skalpell. «Ich hab' schon vier Beine seziert und besitze sozusagen eine Nase fürs Messer. Das ist der Gluteus maximus.»

Grimsdyke bahnte sich rasch einen Weg durch die Muskel und erledigte in einer halben Stunde unser Wochenpensum.

Die regelmäßige Tagesordnung von Vorlesungen und Sezierübungen ließ die Zeit angenehm verstreichen. Nach ein paar Wochen begannen für mich die Persönlichkeiten meiner Studiengenossen schärfer hervorzutreten, so wie das Auge in einem verdunkelten Raum die Objekte nach und nach erkennt. Mein Partner beim Sezieren, Tony Benskin, war ein munterer Bursche, dessen geistiger Horizont von Rugby und Bier begrenzt und nur von einem chronischen Geldmangel umwölkt war. Den Zwillingsbruder unseres Beines sezierte der rothaarige Jüngling, der bei der Ansprache des Deans gelesen hatte. Er entpuppte sich als ein stiller und beunruhigend begabter Waliser namens Evans, der sich auf das Studium mit dem Arbeitseifer eines älteren Schülers warf. Evans sezierte von Anfang an gewissenhaft und tüchtig drauflos — was ein Glück war, denn sein Gefährte erschien kaum jemals im Seziersaal. Er war ein hübscher Bursche namens John Bottle, dessen Lebensinteressen sich auf Tanzereien und Hunde beschränkten. Er verbrachte den Großteil seiner Nachmittage im «Palais» und seine Abende bei Harringay oder der «White City». Der Mann in den mittleren Jahren mit dem Notizbuch war, wie ich bald entdeckte, ein Ex-Bankbeamter mit Namen Sprogget, der nach zwanzigjährigem Sitzen überm Hauptbuch ein bißchen Geld geerbt hatte und nun plötzlich einen fast vergessenen Ehrgeiz aufgriff, indem er sich der Medizin zuwandte. Sprogget hatte das Pech, den unbeliebtesten Studenten des Lehrgangs zum Partner zu haben — einen gewissen Harris, den Grimsdyke sofort den «Musterknaben» nannte. Harris wußte alles. Sein pomadisiertes schwarzes Haar, das peinlich genau in der Mitte gescheitelt war, und seine dickgeränderten Augengläser tauchten häufig zwischen zwei sezierenden Studenten auf.

«Wissen Sie», meldete er sich ungebeten, «daß Sie dieses Stück nicht dem Buch gemäß bearbeiten? Sie hätten den Nerv bloßlegen sollen, bevor Sie die Sehnen durchtrennen. Ich hoffe, Sie nehmen es mir nicht übel, daß ich es erwähne, aber ich dachte, ich könnte Ihnen dadurch einen späteren Anstand mit dem Prof ersparen. Hören Sie mal, Sie haben aber die Brachialarterie sauber hergerichtet, das muß ich schon sagen!»

Er war unverbesserlich. Er saß bei den Vorlesungen in der ersten Reihe und stellte schwere Fragen, für die er bereits die Antworten parat hatte. Zum Lunch aß er belegte Brötchen in der Kleiderablage der anatomischen Abteilung und studierte dabei in den Lehrbüchern; und seine Gespräche beschränkten sich ausschließlich auf Anatomisches. Die Anwürfe, denen er unvermeidlicherweise ausgesetzt war, betrachtete er als ein Beispiel für die Verfolgungen der Intellektuellen.

Grimsdyke erwies sich als eine nützliche Bekanntschaft, denn sein vierfacher Studienantritt hatte ihn auf einen vertrauten Fuß mit den vorgeschritteneren Studenten gestellt. Eines Nachmittags kurz nach meiner Ankunft winkte er mich zu sich, als ich die medizinische Schule zu verlassen im Begriff war.

«Hör mal, Alter», rief er. «Komm her, hier steht Mike Kelly. Er ist der Sekretär des Rugby-Klubs.»

Ein untersetzter junger Mann mit einem roten Gesicht stand neben ihm. Er trug einen alten Tweedrock mit Lederbesätzen auf den Ellbogen und einen knallgelben Pullover.

«Guten Tag», sagte ich ehrfurchtsvoll. Kelly war nicht nur Rugby-Klubsekretär, sondern auch zwei Jahre älter als ich.

«Erfreut, Sie kennenzulernen», sagte Kelly und zermalmte meine Hand. «Sie spielen ein bißchen, höre ich?»

«Ein bißchen. Bin Dreiviertler.»

«Famos. Das Spital wird in einem Jahr oder sowas knapp an guten Dreiviertlern sein. Erste Schulmannschaft, vermute ich?»

«Ja.»

«Was für eine Schule?»

Ich nannte sie.

«Oh», machte Kelly enttäuscht. «Nun, immerhin kein Grund, daß nicht auch einmal ein anständiger Spieler von dort kommen sollte. Wir lassen Sie am Samstag mit dem Extra-B-Team antreten und werden sehn, wie Sie sich ausnehmen. Grimsdyke ist der Captain. Er wird Sie einführen.»

«Mit dem Extra-B hat es eine ein bißchen komische Bewandtnis», erklärte Grimsdyke, nachdem Kelly davongeschlendert war. «Wir sind in Wirklichkeit mehr eine soziale Institution als etwas anderes. Wir rühmen uns, daß wir eine Mannschaft für jede Art Spiel aufstellen können. Letzten Sommer spielten wir als Tanzkapelle bei den Cricketkämpfen auf, und für den nächsten Monat habe ich ein Murmelspiel-Match gegen die Polizei arrangiert. Ich erwarte dich hier Samstag mittag und werde dich und diesen dikken Kerl — wie heißt er gleich...?»

«Benskin.»

«Benskin, richtig. Ich werde euch beide in meinem Wagen zum Spielplatz bringen. Um die Hemden und das andere Zeugs braucht ihr euch nicht zu kümmern.»

Der Spielplatz von St. Swithin lag in einer nördlichen Vorstadt Londons, und das Extra-B war nur eins von den halbdutzend Teams des Spitals, die an diesem Wochenende auf ihrem eigenen Boden antraten. Das Spiel war nicht gerade glänzend, und St. Swithin erhielt einen knappen Sieg.

«Gute Arbeit», sagte Grimsdyke, als ich mich umkleidete. «Du und dieser Kerl von einem Benskin, ihr habt euch recht gut gehalten. Ihr beide müßt schrecklich gesund sein. Mit ein bißchen

31

Glück müßtet ihr die Dritte Mannschaft machen, bevor die Saison aus ist.»

«Tausend Dank!»

«Nun mach aber weiter! Es ist schon fünf vorüber, und wir wollen keine Zeit verlieren.»

«Wozu die Eile?» fragte ich.

Grimsdyke blickte mich fassungslos an.

«Na, um halb sechs machen doch die Lokale auf! Wir erreichen gerade noch den ‹König Georg›, wenn wir uns beeilen.»

«Besten Dank», sagte ich, «aber ich meine doch, ich sollte lieber nach Hause...»

«An einem Samstagabend! Großer Gott, mein Lieber, das geht doch nicht! Mach weiter und zieh dir die Hosen an.»

Aus Angst, gegen die Gesellschaftsordnung dieser neuen Lebensführung zu verstoßen, gehorchte ich. Wir trafen vor dem «König Georg» ein, als der Padre die Türe aufsperrte. Beide Teams drängten sich in die kleine Trinkstube, und schon klirrten eine Reihe Maßkrüge verheißungsvoll auf der Theke. Jedermann war guter Laune, angenehm ermüdet und frisch gebadet. Wir lachten, spaßten und schlugen einander auf den Rücken.

«Da hast du», sagte Grimsdyke, indem er mir einen Schoppen in die Hand drückte. «Wir machen Gemeinschaftskasse mit je fünf Shilling.»

Ich händigte ihm zwei halbe Kronen aus, in der Meinung, daß dies ein ganz ordentlicher Betrag für den Bierkonsum eines einzigen Abends sei.

«Trink aus!» forderte mich Grimsdyke ein paar Minuten später auf. «Ich starte gerade eine neue Runde.»

Um nicht allzusehr von den anderen abzustechen, leerte ich mein Glas. Ein neues wurde mir unmittelbar darauf in die Hand geschoben, aber für eine Weile führte ich es aus Schüchternheit nicht zum Mund.

«Du bist langsam», rief Benskin und stieß mich aufmunternd an. «Es ist noch eine Menge im Faß.»

Ich nahm schnell einen ordentlichen Schluck. Da entdeckte ich plötzlich, daß Bier äußerst angenehm schmeckt. Die Burschen rund um mich gossen es ungestraft hinunter, warum sollte ich es nicht auch tun? Mit einer schwungvollen Geste machte ich einen tiefen Zug.

Beim dritten Schoppen überkam mich ein seltsames Gefühl. Ich empfand eine kolossale Hochachtung vor mir selber. Verdammt noch einmal! dachte ich. Ich kann saufen wie die Besten von denen da! Jemand klimperte auf dem Klavier, und Benskin begann zu singen. Ich kannte kein einziges Wort des Textes, aber ich stimmte mit den übrigen in den Chor ein.

«Das ist für Sie, Mr. Gordon», sagte der Padre und händigte mir einen neuen Krug ein.

Voll Eifer stürzte ich das vierte Maß hinunter. Doch da mußte ich entdecken, daß die Gesellschaft unklare Umrisse bekam. Die Gesichter und die Lichter verschwammen ineinander, und die Stimmen kamen unerklärlicherweise manchmal aus weiter Ferne, manchmal wieder direkt in mein Ohr. Liederfetzen schaukelten sich auf meinem Hirn wie Tang auf träger See.

Benskin sang:

> «Der Kaviar stammt von Jungfrau-Stören,
> doch richt'ge Jungfraun gibt's nur paar;
> sie lassen sich zu schnell betören,
> drum ist der Kaviar gar so rar.»

An die Bar gelehnt, suchte ich eine Stütze zu finden. Jemand neben mir erzählte zwei Burschen eine komische Geschichte, und ihr Gelächter klang weit entfernt und unheimlich wie das der drei Hexen im Macbeth.

> «Die roten Plüschpumphosen,
> die roten Plüschpumphosen...»

kam es aus der Ecke, wo das Klavier stand,

> «... die roten Plüschpumphosen,
> die hielten Thomas warm.»

«Ist dir nicht gut?» fragte eine Stimme in mein Ohr.
Ich murmelte etwas.
«Was hast du, Alter?»
«Mir ist ein bißchen übel», gestand ich unumwunden.
«Halt dich noch einen Augenblick zurück. Ich bring' dich in deine Bude. Wo wohnt er, Benskin? Helft mir einer, ihn in den Wagen zu schaffen. Oh, und nehmt etwas mit, für den Fall, daß er speit.»

Am nächsten Morgen kam Grimsdyke in meine Bude nachschauen.

«Wie geht's?» fragte er aufgeräumt.
«Mir ist totenübel.»
«Einfacher Fall von Kater vulgaris, mein Lieber. Ich versichere

dich, meine Prognose ist hervorragend. Hier hast du ein halbes Gran Kodein.»

«Was ist mit mir geschehn?» fragte ich.

Grimsdyke grinste.

«Nun, man hat dich zur Ader gelassen», sagte er.

4

Selbst medizinstudenten müssen irgendwo wohnen. das problem, ein passendes Logis zu finden, wird dadurch erschwert, daß sie durchaus abgeneigt sind, für so nüchterne Dinge wie Kost und Quartier teures Geld auszugeben, das sich ebensogut für Bier und Tabak verwenden ließe. Und sie gehören, in der Regel, auch nicht zu den beliebtesten Mietern. Sie bleiben stets lange auf, kommen an Samstagen angesäuselt nach Hause und haben Flaschen voll merkwürdigen Dingen in ihren Schlafzimmern. Andererseits gibt es doch wieder eine kleine Zahl von Vermieterinnen, die es als eine Auszeichnung erachten, einen künftigen Arzt unter ihrem Dach zu berherbergen. Ihre Beziehung zu diesem Berufsstand erhöht ihr soziales Niveau in der Straße, und man kann den jungen Herrn immer über den Eßtisch hinweg wegen der ausgeprägt eigentümlichen Leiden konsultieren, denen Hauswirtinnen tragischerweise ausgesetzt zu sein scheinen.

Mein erstes Logis war in Finchley gelegen; es war sauber, ziemlich billig und bequem. Die Hausfrau besaß eine Tochter, eine schlanke, blasse, neunzehnjährige Brünette, die als Platzanweiserin im Odeon angestellt war. Nachdem ich ungefähr sechs Wochen dort gewohnt hatte, klopfte sie eines Abends an die Tür meines Schlafzimmers.

«Liegen Sie schon im Bett?» fragte sie ängstlich.

«Nein», rief ich durch die Türe. «Ich studiere. Wo fehlt's?»

«Mir tut der Fuß weh», sagte sie. «Ich glaub', ich hab' ihn mir verrenkt, oder sowas Ähnliches. Würden Sie ihn bitte ansehn?»

«In der Küche», erwiderte ich vorsichtig. «Ziehen Sie den Strumpf aus, ich bin in einer Minute bei Ihnen.»

In der darauffolgenden Woche machte ihr ein Wadenleiden zu schaffen, und wieder in der nächsten eine Steifheit im Knie. Als sie schließlich anklopfte und sich über Hüftschmerzen beklagte, kündigte ich.

Ich zog in das Mansardenzimmer eines Hotel garni bei der Paddington Station. Seine Insassen gehörten derart vielen Nationalitäten an, daß die Gebrauchsanweisungen zur Benützung seiner etwas zweifelhaften und nicht ganz ungefährlichen Klosette in vier verschiedenen Sprachen abgefaßt werden mußten, wie in den Expreßzügen auf dem Kontinent. Es wohnte noch ein zweiter Medizinstudent dort, ein Bursche aus St. Mary, der in seinem Schlafzimmer ein Aquarium mit tropischen Fischen hielt und im Joga trainierte.

Da ich alle Mahlzeiten außer Haus einnahm, sah ich wenig von den anderen Mietern, außer wenn wir einander auf der Treppe passierten und sie in schlechtem Englisch eine Entschuldigung murmelten. Neben mir wohnte eine plumpe junge Blondine; sie war sehr ruhig und störte niemanden. Eines Morgens fand man sie erwürgt im Hyde Park auf, und da schien es mir an der Zeit, wieder einmal umzuziehen.

Die folgenden zwölf Monate verbrachte ich in einer Reihe von Pensionen. Alle waren gleich. Sie zeichneten sich durch einen kurvenreichen Hutständer im Eingangsraum, einem roten, in der Mitte grau abgetretenen Stiegenläufer und eine mißtrauische Inhaberin aus. Zu dem Zeitpunkt, da sich mein Anatomiestudium dem Ende zuneigte, war ich der Gerüche von Bodenpaste, feuchten Schirmen und Gebratenem müde; als man mir anbot, Mitbewohner eines Quartiers in Bayswater zu werden, war ich so entzückt, daß ich meine Koffer packte und auszog, ohne die Wochenmiete voll abzusitzen.

Durch einen Freundschaftsdienst Tony Benskins kam ich zu dieser Teilwohnung; er wohnte dort mit vier anderen Studenten. Das waren John Bottle, der junge Mann, der etwas für Tanzereien und Hunde übrig hatte; Mike Kelly, nunmehr Captain der Ersten Mannschaft; und ein Junge, im Spital allgemein als der «verteppte Maurice» bekannt, der, zu seiner und des Professorenkollegiums Überraschung, endlich die Schlußprüfungen bestanden und sich aufgemacht hatte, die ärztliche Kunst als Anstaltschirurg in einem kleinen Landspital auszuüben — worüber sich der Dean in aller Öffentlichkeit entsetzte.

Diese vier waren in Wirklichkeit nur Untermieter. Die Bude wurde von einem Studenten im letzten Jahrgang vermietet, einem munteren Burschen namens Archie Broome, der fast während seiner ganzen Studienzeit zu St. Swithin dort gehaust hatte und seine Freunde als Mitbewohner heranzog, um sich das Zinszahlen etwas zu erleichtern.

«Wir sind recht frei und ungebunden», erklärte er mir im «König Georg». «Ich hoffe, du bestehst nicht pedantisch auf bestimmten Zeiten fürs Essen, Schlafen und ähnliches?»

Da ich die Erfahrung gemacht hatte, daß Vermieterinnen Unpünktlichkeit bei den Mahlzeiten als persönliche Beleidigung und langes Aufbleiben als den Ursprung aller Sünde ansahen, versicherte ich meinem künftigen Hauswirt wärmstens, daß ich mich den Teufel um solche Formalitäten scherte.

«Ausgezeichnet», sagte Archie. «Gewöhnlich schießen wir für Lebensmittel, Bier und so weiter zusammen, wenn dir das paßt. Hier ist der Schlüssel; du kannst einziehen, wann du willst.»

Ich übersiedelte am nächsten Nachmittag. Die Wohnung befand sich in einem großen, alten, düsteren Häuserblock gleich beim Park; es ging ein paar finstere Stiegen hinauf. Ich stellte meine Koffer auf dem Treppenabsatz vor der Türe ab und kramte nach dem Schlüssel. Währenddessen ging die Türe auf.

Im Vorzimmer stand eines der prächtigsten Mädchen, die ich je gesehen hatte. Es war eine schlanke Blondine mit einer Figur, wie man sie an den Modellpuppen in den Schaufenstern der Damenkonfektionshäuser sieht. Sie trug lange Hosen und einen Pullover, der ihre sanften Wölbungen deutlich akzentuierte. Indem sie mit einer anmutigen langfingrigen Hand eine Zigarette aus dem Mund nahm, sagte sie mit größter Freundlichkeit: «Hallo, Richard! Treten Sie ein und machen Sie sich's bequem.»

«Ich fürchte ...», begann ich. «Ich meine, ich suche einen Burschen namens Broome ...»

«Stimmt schon», sagte sie mit einem leichten, anziehenden und schwer bestimmbaren Akzent. «Die Jungens sind augenblicklich alle im Spital, aber kommen Sie nur herein. Möchten Sie eine Tasse Tee? Ich heiße Vera.»

«Guten Tag», sprach ich höflich. Ich ergriff meine Koffer und trat zögernd ein. Daß ich nun, nachdem ich mich darauf eingestellt hatte, mit vier rauhen Männern zusammen zu leben, von einem zarten Mädchen begrüßt wurde, verwirrte mich einigermaßen.

«Das ist das Wohnzimmer», fuhr Vera fort. «Nun also, was ist mit dem Tee?»

«Danke, nein. Sehr lieb von Ihnen, aber ich habe gerade getrunken.»

«Das trifft sich gut, weil ich fortgehen und mich umziehen muß. Wenn Sie was brauchen — zur Küche geht's dort durch. Schauen Sie sich nur nach Belieben um.»

Das Mädchen schlüpfte durch eine Tür des Vorzimmers und ließ mich allein im Wohnraum zurück; ich kam mir wie ein Mitwirkender an der Eröffnungsszene einer Schlafzimmerposse vor. Seit ich im St. Swithin arbeitete, hatte ich gelernt, daß es das beste war, sich ungewohnten Dingen gegenüber so zu verhalten, als existierten sie nicht; daher wandte ich meine Aufmerksamkeit der neuen Behausung zu.

Die Einrichtung des Wohnzimmers trug eine originelle Note, die den Beruf der Insassen widerspiegelte. Wie im Zimmer Axel Munthes im Hotel de l'Avenir gab es überall Bücher. Bücher standen auf dem Kaminsims; die Namen berühmter Spezialisten, in goldenen Lettern auf roten und schwarzen Einbänden, starrten wie eine Bank mit Kirchenältesten auf die Studenten herab, voll Tadels über deren Müßiggang. Das Fensterbrett entlang lief, einer Brustwehr gleich, eine ungleichmäßige Reihe dicker Bände. Bücher lagen auf dem Boden, achtlos hinter Sessel oder zwischen Möbelstücken und der Wand hingeworfen. Sie waren über den Tisch verstreut wie Abfälle auf einem Badestrand, inmitten von Marmeladetöpfen, Brotstücken, Tabak, Zeitungen und Bierflaschen. Da gab es Prices berühmte «Medizinische Wissenschaft», vier Zoll dick, zweitausend Seiten stark, die einem alles über Masern und Lepra, über Halsschmerzen und Herzschwäche vermittelten (der Band erwies sich außerdem nutzbringend beim Stützen offener Fenster im Sommer und beim Befestigen von Leselampen); da gab es Bücher über Zuckerkrankheit, Blinddarmentzündung, Bakterien und Knochenbau; Bücher voll Abbildungen von Hautkrankheiten, Ausschlägen, gebrochenen Gliedmaßen; schwere, langweilige Wälzer über Pathologie aus Schottland, mit einem einzigen armseligen Bild — oder höchstens zwei — eines Gewächses oder Geschwürs, das deren engen Druck unterbrach; Bücher über Geburtshilfe mir Federzeichnungen von nachlässigen Babys in besorgniserregenden Lagen; und mitten darunter kuschelten sich, wie die Küchlein bei den Hennen, die dünnen braunen Bändchen der Studentenhilfe-Serie — eine unschätzbare Sammlung von Synopsen, die eiserne Ration für den Notfall, auf die die Studenten zurückgriffen, wenn ihnen von den Examinatoren mit einem Durchfall gedroht wurde. Die ganze Wissenschaft — die Arbeit, die Erfahrung und der Rat so vieler Experten —, die gesamte medizinische Lehre der Welt war da auf wenige Quadratmeter konzentriert. Sie lag griffbereit da — wenn wir uns nur hingesetzt und zu lesen begonnen hätten!

Ein Mikroskop stand in einer Ecke, dem Auge gefällig entgegengeneigt, daneben eine offene Holzschachtel mit Glasplättchen. Die zergliederten Knochen einer Hand lagen auf dem Tisch, mitten unter all dem anderen Zeug. Von einem Schrank in einer Ecke grinste ein Totenschädel herab; er diente gleichzeitig als Ständer für einen grünen Hut mit weißer Schnur, den Benskin zu tragen sich manchmal bemüßigt fühlte.

Außer diesen akademischen Relikten enthielt das Zimmer Teile von Sportausrüstungen — Rugbyschuhe, Wollsocken, ein Paar Cricketschläger und einer Schießscheibe auf einem zersplitterten Sperrholzständer. Die Freizeitbetätigungen der Inwohner wurden auch durch eine Sammlung von Schildern, Ankündigungen und kleineren Dekorationsstücken dokumentiert, die von Zeit zu Zeit schamloserweise als Trophäen entführt worden waren. Das Rugby-Team St. Swithins hatte die schlechte Gewohnheit, bei auswärtigen Spielen vor der Heimkehr Andenken an seine Gastreisen mitgehen zu lassen, und diese waren im Laufe der Spielzeiten zu einem ansehnlichen Umfang angewachsen. Da gab es in einer Ecke eine Geschwindigkeitstafel, und neben dem Schädel auf dem Schrank ein orangefarbenes Verkehrszeichen. An einem Wandhaken hing der Helm eines Schutzmanns mit dem Abzeichen der Polizei Cornwalls; er war am Ende einer erfolgreichen Tournee der West County in einem Ausbruch von Vandalismus erobert worden. Darunter war eine eingerahmte Ankündigung angebracht, des Inhalts, daß das Weitergeben von Wettzetteln gegen das Gesetz verstoße, und an der Wand gegenüber befand sich eine Tafel mit den Besuchszeiten des Parks. Etwas später entdeckte ich, daß die Tür des Badezimmers eine Metallplatte mit der Aufschrift «Nur für Pflegerinnen» trug, und drinnen war an entsprechender Stelle die klein gedruckte Bitte zu lesen, nebenstehende Vorrichtung nicht zu benützen, solange sich der Zug in einer Station aufhielt.

Meine Forschungen wurden durch das Wiedererscheinen Veras unterbrochen. Sie trug nur Strümpfe, einen Rock und einen Büstenhalter, den sie mit den Händen an sich hielt.

«Richard, schließen Sie mir bitte meinen BH», verlangte sie. «Ich bringe den vertrackten Verschluß nicht zu.»

Sie drehte mir ihre zarten Schultern zu.

«Danke vielmals», sagte sie dann flüchtig, schlenderte in ihr Zimmer zurück und schloß die Tür. Ich zuckte die Achseln und entschied, daß ich nichts anderes tun konnte als zu warten, bis die männlichen Mitglieder des Haushalts eintrafen, um dann vorsichtig Veras genaue Funktionen zu erkunden.

Vera war, wie sich herausstellte, Archies Geliebte. Sie war Österreicherin, eine verführerische Person, jedoch mit der Fähigkeit ausgestattet, sich ihren vier Untermietern gegenüber so anmutig unparteiisch und schwesterlich zu verhalten, daß keiner von uns auf den Gedanken kam, sich ihr zu nähern — was uns ebenso abseitig erschienen wäre wie ein Inzest. Außerdem besorgte sie das Kochen und die meisten kleinen fraulichen Obliegenheiten im Haushalt. Wir schätzten dies ebenso hoch ein wie ihre dekorativen Qualitäten, denn unsere eigenen Fähigkeiten in der Kochkunst erstreckten sich nicht über das obligate Bohnengericht hinaus, und Socken stopfen konnten wir nur derart, daß wir eine chirurgische Naht rund um das Loch legten und dieses dann fest zusammenzogen. Das Bodenscheuern, Heizen und die gröberen häuslichen Arbeiten wurden von uns Männern in einem strengen Turnus verrichtet; aber Vera war es, die daran dachte, einen neuen Lampenschirm zu kaufen, Kohle zu bestellen oder einem von uns zu sagen, daß es Zeit war, den Kragen zu wechseln oder das Haar schneiden zu lassen.

Vera hatte unglückseligerweise die schlechte Gewohnheit, von Zeit zu Zeit das sanfte Dahinplätschern des Haushalts durch plötzliche heftige Streitereien mit Archie aufzurühren; diese endeten stets damit, daß sie ihre Koffer packte und davonlief. Wohin sie sich bei diesen Eskapaden wandte, wußte keiner von uns. Sie besaß weder Verwandte noch Geld, und Archie war von seinen eigenen Mutmaßungen über die Art und Weise, womit sie während ihres Fortseins ihr Leben bestritt, so entsetzt, daß er sie nie geradeheraus danach zu befragen wagte. Die Bude pflegte zu diesen Zeiten unordentlich und ungepflegt auszusehen. Der Heizkessel ging wegen Kohlenmangels aus, und wir fünf setzten uns allnächtlich zu einem konstant an Scheußlichkeit zunehmenden Abendessen zusammen, das lediglich aus orangefarbenen Bohnen bestand. Nach ungefähr einer Woche pflegte Vera wieder aufzutauchen, so hübsch, graziös und schwesterlich wie eh und je, stürzte sich in eine Versöhnungsorgie mit Archie und fuhr in ihren Haushaltsobliegenheiten fort, als sei nie etwas geschehen.

Ich schwamm zufrieden im Fahrwasser dieser Lebensweise dahin. Meine Gefährten sahen ein geregeltes häusliches Leben voll der Verachtung an. Sie nahmen die Mahlzeiten zu sich, wann immer sie hungrig waren, und wenn sie Lust hatten, blieben sie die ganze Nacht auf. Archie bewohnte mit Vera ein Wohnschlafzimmer, und da sie ein Paar waren, das sich nie gehemmt fühlte, bot ihnen dieses hinreichende Möglichkeiten zur Entfaltung ihres Privatlebens. Archies Gästen stand der übrige Raum zur unbeschränkten Verfügung. Das Badezimmer teilten wir alle und, da wir Shillingmünzen in den Gasspeicher stecken mußten, manchmal auch das Badewasser. Vera zeigte sich bei der Benützung des Badezimmers von ihrer schwesterlichen Seite. Sie pflegte einzutreten und das Zähneputzen in Angriff zu nehmen, ohne sich darum zu scheren, ob ein behaartes männliches Wesen in der Wanne den Versuch unternahm, den Luffaschwamm in einen Keuschheitsgürtel zu verwandeln. Obwohl wir allesamt zu sehr Kavaliere waren, um absichtlich einzutreten, während sie selbst im Bade saß, ließ sie sich durch niemanden stören, der gerade hereinplatzte. «Schließlich», pflegte sie uns zu schmeicheln, «seid ihr alle ja Ärzte.»

Ich hatte das Gefühl, ein wirklich freies Leben zu führen und meinen Verstand zu entwickeln — was mir als Entschuldigung dafür diente, daß ich mich nicht mit den etwas konkreteren Problemen befaßte, die mir die Lehrbücher boten. Immerhin hing der Gedanke an die Anatomieprüfung drückend über mir wie die Rechnung über einem Gast, der sich's in einem noblen Hotel gut gehen läßt. Eines Abends entdeckten wir mit einem Schock, daß der große Kampf nur mehr einen Monat vor uns lag, und Benskin und mir blieb keine andere Wahl als zu büffeln. Wir schlugen unsere Lehrbücher auf und sogen tief die Luft der Wissenschaft ein, die, wie wir hofften, bis zum Schluß der Prüfung vorhalten würde. Wir hätten uns für den Arbeitsbeginn keinen schlechteren Zeitpunkt wählen können. Mike Kelly hatte beschlossen, Klarinette blasen zu lernen. Archies Hausherr versuchte die Miete zu erhöhen, und Vera war wieder einmal verschwunden. Diesmal sollte sie nie wiederkehren, und als die Prüfung begann, war mir ebenso elend zumute wie ihrem Liebhaber.

5

ALS ICH VERNAHM, DASS ICH DAS ANATOMIEEXAMEN BESTANDEN HATTE, fühlte ich mich wie jemand, dem eine unerwartete Erbschaft zuteil geworden ist. Ich hatte die Vorbereitungen auf die Prüfung insofern reduziert, als ich es ablehnte, Fragen zu studieren, die auf den letzten Prüfungsbogen aufschienen; ich war der Ansicht, daß Examinatoren, ebenso wie Blitze, nie zweimal in die gleiche Stelle einschlagen. Auf der Liste derer, denen es gelungen war, durchzukommen, standen neben meinem Namen die Tony Benskins, John Bottles, Sproggets, Evans' und Harris'. Auch Grimsdyke war erfolgreich gewesen und mußte verblüfft erkennen, wie nahe er bei den vergangenen Malen der Katastrophe des Durchkommens gewesen war.

Ich war von Stolz geschwellt: nun war ich der stumpfsinnigen Tyrannei ledig, im Seziersaal die Körper der Toten zu studieren, und durfte dafür in den Krankensälen die der Sterbenden erforschen. Ich konnte beginnen, mich wie ein richtiger Arzt zu gehaben; ich konnte mir ein Stethoskop kaufen.

Ich suchte einen Laden für chirurgische Instrumente in der Devonshire Street auf, um mir eines auszuwählen, stolz wie ein Bub, der seine erste Pfeife kauft. Mit der ernsten und kritischen Miene eines Herzspezialisten erkor ich mir ein eindrucksvolles Instrument mit dicken Gummischläuchen, einem Bruststück, so groß wie der Deckel eines Marmeladekübels, und ein paar Ansatzteilen, mit denen ich spielen konnte, während ich meine Diagnosen stellte.

Diese Wahl war hochwichtig, denn im Spital gilt ein Stethoskop als ein ebenso unbestrittenes Zeichen von Vorgeschrittenheit wie ein Paar lange Hosen in der Volksschule. Es wurde als nicht sehr geschmackvoll angesehen, wenn man das Instrument allzu protzig zur Schau stellte, aber ein Stück Schlauch von diskreter Länge, das wie ein gut placiertes Schmucktaschentuch aus dem Mantel hervorlugte, führte den Kollegen vor Augen, daß man die Anatomiesäle für immer hinter sich gelassen hatte. War man ein bißchen von Glück gesegnet, so konnte man sogar von den Leuten für einen richtigen Doktor gehalten werden. Für den Laien ist das Stethoskop der Zauberstab des Arztes; sieht er jemand, der es um den Hals trägt, hält er ihn ebenso bereitwillig für einen Arzt, wie er einen Burschen mit dem Collare für einen Pfarrer ansieht. Diese beiden verläßlichen Reflexe sind schon öfters von entsprechend achtbar aussehenden Bauernfängern ausgewertet worden, um wohlmeinenden Bürgern kleinere Geldbeträge aus der Tasche zu ziehen.

Am nächsten Morgen durchschritt ich stolz das Tor des eigentlichen St.-Swithin-Gebäudes, anstatt die schmale Pforte der medizinischen Schule zu benützen. Ich suchte zuallererst den Studentenraum auf, um herauszufinden, welchem Spezialisten ich zugeteilt worden war.

Der Unterricht in den klinischen Fächern — interne Medizin,

Chirurgie, Gynäkologie und Geburtshilfe — wird in Form einer verwässerten Fortsetzung des alten Lehrlingssystems vorgenommen. Das Studienjahr zerfällt in Trimester, während deren der Student jeweils einem anderen Spezialisten zugeteilt wird. Dieser ist der Chef; er nimmt gewöhnlich sechs oder sieben Schüler auf, die mit dem Sammelnamen «Firma» belegt, in den Krankensälen jedoch durch den Titel «ärztliche Hilfskräfte» ausgezeichnet werden.

Jede Hilfskraft hat vier bis fünf Betten zu betreuen. Er ist verpflichtet, die darin aufgenommenen Patienten zu untersuchen, ihre Krankengeschichte zu schreiben und einen Bericht über die Fälle für die wöchentliche Visite des Chefs zusammenzustellen. Der Unterricht wird am Bett selbst entweder vom Chefarzt persönlich, seinem Ersten Assistenten oder dem Anstaltsarzt erteilt; es wird jedoch erwartet, daß sich die Studenten in der Zwischenzeit selber weiterbilden, indem sie im Krankensaal nach lehrreichen Erscheinungen und Symptomen schnüffeln und unaufhörlich die fallweisen ärztlichen Verrichtungen ausüben.

Ich begann meine klinische Arbeit in einer «Firma» unter der Ausbildung Dr. Malcolm Maxworth'. Dr. Maxworth war einer der ältesten Internisten des Spitals; ihm unterstanden ein Krankensaal für männliche und einer für weibliche Patienten. Sie trugen die Bezeichnungen «Patientia» und «Virtus». Da er nur einmal wöchentlich auftauchte, mußten die neuen Studenten einem kleinen Kurs beiwohnen, den der Anstaltsarzt in der Kunst der Krankenuntersuchung erteilte. Wir hatten zu diesem Zeitpunkt von deren korrekten Methoden nicht mehr Ahnung als etwa vom Rutengehen, und jeder Pfadfinder mit einem Erste-Hilfe-Zertifikat wäre in den Krankensälen von größerem Nutzen gewesen denn wir.

Die Krankensäle St. Swithins, die in zwei ausgedehnten Rotziegelbauten untergebracht waren, waren trübsinnige und feindselig aussehende Schläuche; sie besaßen eine Unzahl verwirrender Winkel, die den Bemühungen der staubwedelbewehrten Pflegerinnen auf ewig spotteten. Die Räume wurden wiederholt ausgemalt, im Bestreben, ihnen einen modernen und freundlichen Charakter zu verleihen, aber ihre ursprüngliche korridorähnliche Anlage ließ jeden neuen Anstrich so wirkungslos werden, wie es das Make-up einer alten Hexe wäre. Man plante immer wieder von neuem, sie abzureißen und frisch aufzubauen, aber die Durchführung dieses Projektes schien stets durch Aufschübe vereitelt zu werden. Indessen war das Personal von Stolz erfüllt, in Ausübung der ärztlichen Künste über dieselben Bretter zu wandeln wie seine erlauchten Vorgänger, und die Pflegerinnen verwendeten einen Großteil der Zeit, die sie den Patienten hätten widmen sollen, darauf, die Böden zu scheuern.

Ich durchschritt den Hof und eilte die dunklen Steinstufen zum Virtus-Saal empor. Tony Benskin, Grimsdyke und Evans standen bereits vor der schweren Glastüre, ließen ihre Stethoskope baumeln und versuchten, sich nicht im geringsten von der Umgebung beeindrucken zu lassen — sie glichen darin den frischgebackenen Studenten in Oxford oder soeben eingelieferten Sträflingen in Dartmoor. Wir begrüßten einander mit leiser, einem Kirchenbesuch angemessener Stimme.

Der Anstaltsarzt kam die Treppe heruntergesprungen, immer drei Stufen auf einmal nehmend. Wir machten uns steif wie Wachtposten, die sich zum Strammstehen anschicken. Er schoß an uns vorüber und zur Krankensaaltür hinein, ohne uns anscheinend zu bemerken. Einen Augenblick später lugte sein Kopf wieder heraus.

«Sind Sie Verwandte, die jemanden sprechen wollen?» fragte er. Da erblickte er unsere stolzen Stethoskope. «Oh, ihr seid vermutlich die neuen Gehilfen! Verflucht noch einmal! Ich hab' zu viel zu tun, als daß ich euch etwas zeigen könnte.»

Er kratzte sich seinen Lockenschädel. Er war ein freundlich aussehender Bursche, ungefähr drei Jahre älter als wir.

«Paßt auf», fuhr er munter fort. «Holt euch die Instruktionsblätter von der Schwester Virtus und seht zu, wie ihr mit dem Untersuchen von ein paar Patienten weiterkommt. Ich muß eine Lumbalpunktion und zwei Pneumonie-Fälle vornehmen, aber ich werde euch an die Hand gehn, sobald es mir möglich ist.»

Er verschwand von neuem. Der schwache Schimmer von Selbstgefühl ob unserer Standeserhöhung war verflogen. Wir blickten einander nervös an und schritten durch die Tür in den Krankensaal.

Der Anstaltsarzt war bereits hinter einigen Wandschirmen um ein Bett am entgegengesetzten Ende verschwunden. Eine oder zwei Pflegerinnen waren emsig mit Patienten beschäftigt. Wir vier standen ungefähr zehn Minuten bei der Türe. Niemand nahm die geringste Notiz von uns.

In einer kleinen Seitentüre des Krankensaals erschien die Oberschwester. Sie hielt sofort auf unser Quartett zu.

«Hinaus!» zischte sie wild.

Ich hatte bisher noch nie eine Krankenschwester aus der Nähe gesehen. Diese unerwartete unmittelbare Annäherung bewirkte, daß wir uns wie in einem Ruderboot unterhalb des Bugs der «Queen Mary» vorkamen.

Schwester Virtus war ein stattliches Weibsstück. Sie war ungefähr zwei Meter groß, ihre Gestalt war so vierschrötig wie die eines Polizisten, und sie rückte ihren Gegnern mit einem Paar äußerst kampflustiger Brüste zu Leibe. Schritt sie an einem vorüber, wirkte selbst ihr breiter Hintern furchterregend wie das Heck eines Schlachtschiffes. Ihr Gewand war fleckenlos blau und ihre Schürze steif und glatt wie ein Stück Papier. Ihr Gesicht sah aus wie ein frisch gebrochener Quader Sandstein und wies einen dünnen grauen Schnurrbart auf.

Mein erster Impuls war, kehrtzumachen und schreiend die Treppe hinunterzulaufen. Wir sprangen tatsächlich alle verschreckt zurück, als fürchteten wir uns davor, gebissen zu werden. Aber wir hielten stand.

«Wir sind die neuen Hilfskräfte», murmelte ich heiser.

Sie blickte uns an, als wären wir vier ekelerregende Gegenstände, die ein Patient gerade heraufgebracht hatte.

«Ich dulde hier keinen Unfug», sagte sie schroff. «Nicht den geringsten!»

Wir schüttelten heftig die Köpfe, um anzudeuten, daß Unfug jeglicher Art bei uns nicht in Betracht käme.

«Nach zwölf Uhr mittags oder nach sechs Uhr abends haben Sie nichts im Krankensaal zu suchen, verstanden?»

Ihre Augen verätzten uns der Reihe nach.

«Und unterstehen Sie sich nicht, sich mit den Pflegerinnen einzulassen!»

Grimsdyke zog eine Braue hoch.

«Werden Sie nicht frech!» japste sie.

Sie wandte sich rasch zu ihrem Schreibpult und kam mit ein paar Zetteln in Kanzleiformat zurück, die maschingeschriebene Anweisungen enthielten.

«Nehmen Sie!» kommandierte sie.

Jeder von uns ergriff ein Blatt. Sie trugen die Überschrift «Instruktionen für neu eingetretene Studenten».

«Sie haben für die Patientinnen Nummer 5, 8, 12 und 20 Sorge zu tragen», fuhr Schwester Virtus streng fort. «Das Bettzeug ist stets tadellos in Ordnung zu bringen. Bevor Sie eine Patientin unterhalb des Kopfes oder Halses untersuchen, haben Sie die Saalschwester um eine Begleitperson zu ersuchen. Halten Sie sich gefälligst vor Augen, daß ich Studenten in meinem Krankensaal überhaupt ablehne, aber wir sind gezwungen, Sie einzustellen.»

Nachdem sie auf diese Weise ihren Willkommsgruß beendet hatte, drehte sie sich um ihre Achse und segelte dahin, um einer Schwesternschülerin die Hölle heiß zu machen, weil sie die Fensterbretter nicht in der vorgeschriebenen Art und Weise abstaubte.

Wir krochen schweigend durch die Türe und lehnten uns draußen an die Wand des Ganges, um unsere Instruktionsblätter zu lesen. Grimsdyke war der einzige, der sprach.

«Ob sie wohl auf einem Besenstiel zum Mittagessen reitet?» fragte er.

Ich konzentrierte mich auf den maschingeschriebenen Zettel. «Bevor der Patient untersucht wird, muß eine sorgfältige Krankengeschichte aufgenommen werden», las ich da. Es folgte ein Verzeichnis der Fragen. Vorerst begann es recht einfach: «Name. Adresse. Alter. Stand. Beschäftigung. Voraussichtliche Dauer des Spitalsaufenthaltes. Ist der Patient einverstanden?» Sodann eine eingehende Befragung über die Leistungsfähigkeit, mit der der Patient jede wahrnehmbare physiologische Funktion bewältigte, vom Husten angefangen bis zum Coitus.

Ich drehte das Blatt um. Die andere Seite trug die Überschrift «Untersuchung». Ich las sie bis zur Hälfte, aber ich brannte schon danach, mein Glück bei einem leibhaftigen Patienten zu versuchen. Ich stopfte das Papier in meine Tasche, so wie ein Kind die Gebrauchsanweisung zu einem neuen komplizierten Spiel beiseiteschiebt. Vorsichtig steckte ich meine Nase durch die Türe und entdeckte zu meiner Erleichterung, daß die Oberschwester in ihren Stall zurückgekehrt war. Wahrscheinlich verdaute sie gerade jemanden.

Schüchtern wandelte ich die Bettreihen entlang bis zu Patientin Nummer 12.

«Können Sie nicht darauf achten, wo Sie gehen?» ertönte unwillig eine weibliche Stimme in mein Ohr.

Ich wandte mich um. Hinter mir stand, böse dreinblickend, eine Pflegerin. Sie war jung und sah recht gut aus; sie trug die Schleife und den blauen Gürtel einer qualifizierten Anstaltsschwester.

«Sehen Sie nicht, daß der Boden gerade gewichst worden ist?» sagte sie herausfordernd.

«Bitte um Entschuldigung», murmelte ich. Sie warf ihr Haupt zurück und stelzte davon, mit ihrer gestärkten Schürze raschelnd.

Nummer 12 war eine handfeste junge Blondine, deren Haarwurzeln sich bereits bräunten — eine Erscheinung, die sich in den Krankensälen für weibliche Insassen öfters einstellte. Sie saß, mit einer grünen Wolljacke angetan, im Bett und las ein Buch von Peter Cheyney.

«Guten Morgen», sagte ich demütig, denn ich erwartete auch von ihr eine Attacke.

Sie ließ sofort einen Papierwisch in ihr Buch gleiten, legte es auf ihr Nachtkästchen, warf die Bettjacke ab und streifte den Oberteil ihres Nachthemdes von den Schultern, um einen üppigen und durchaus nicht unerfreulichen Busen zu enthüllen. Sodann lächelte sie.

«Guten Morgen!» rief sie. Die Spitalpraxis war ihr sichtlich nichts Neues.

Ich fühlte mich ein bißchen geniert. Ich hatte mich noch nie (und nirgends) in einer derartigen Situation befunden.

«Ha... haben Sie was dagegen, wenn ich Sie untersuche?» fragte ich schüchtern.

«Nur los», sagte sie einladend und lächelte noch breiter.

«Tausend Dank.»

Die Umstände waren so ungewöhnlich, daß ich keine Worte finden konnte. Ich suchte mich an die Instruktionen zu erinnern, aber das Blatt war vor meinem geistigen Auge ebenso unbeschrieben wie die Bettdecke der Patientin. Mir war zumute wie einem Tischredner, der sich erhoben hat und entdecken muß, daß er den Entwurf seiner Rede vergaß. Da kam mir unerwarteterweise eine Idee: ich könnte ihr den Puls fühlen. Ich ergriff eines ihrer Handgelenke und tastete nach der Radialarterie, während ich mit blinder Konzentration auf das Zifferblatt meiner Armbanduhr starrte. Ich glaube, ich hielt ihren Arm fünf Minuten oder noch länger fest, wobei ich mich krampfhaft fragte, was ich als nächstes tun sollte. Und während dieser ganzen Zeit hielten ihre sanft wogenden Brüste meine Augen in Bann. Sie faszinierten mich, keineswegs in Form eines sexuellen Reizes, sondern in beängstigender Weise, als wären sie ein Paar gefährliche Schlangen. Ich bemerkte ein paar kleine Schweißtropfen in der Umgebung der Brustwarzen.

Da explodierte ein Gedanke in meinem Hirn.

«Ich muß eine Pflegerin holen!» rief ich. Ich ließ ihre Hand fallen, als hätte sie die Blattern. «Als Anstandsperson, wissen Sie?»

Sie kicherte.

«Aber geh!» sagte sie neckisch.

Ich entwich hastig. Eine Pflegerin, ohne Gürtel- und Schleifen-zier, staubte eben ein Nachtkästchen auf der anderen Seite des Saals ab. Sie sah in einer ermunternden Weise nach Anfängerin aus.

«Würden Sie mir bitte freundlichst auf ein paar Minuten als Anstandsdame bei einer Patientin assistieren?» fragte ich sie an-gelegentlich.

«Nein!» erwiderte sie. Sie hielt im Abstauben inne, um mich anzublicken. Ich mußte wohl so jämmerlich aussehen, daß ein Funke von Mitleid in ihrem Herzen aufglomm. «Bitten Sie die Schwesternschülerin», warf sie mir kurz angebunden hin. «Das ist ihre Aufgabe. Sie ist im Spülraum, um die Leibschüsseln zu putzen.»

Ich dankte ihr demütig und ging auf die Suche nach meiner Hilfskraft. Es war ein abgeplackt aussehendes Mädchen von un-gefähr achtzehn Jahren, das so eifrig einen Stoß metallener Leib-schüsseln polierte, als wären sie das Familiensilber.

«Würden Sie mir bitte als Anstandsperson beistehen?» fragte ich kläglich.

Sie fegte verdrießlich einen Strähn strohfarbenen Haars aus ihren Augen.

«Wenn's sein muß», sagte sie.

Wir kehrten zusammen in den Krankensaal zurück und stellten ein paar Schirme um das Bett des üppigen Blondchens. Die Schwe-sternschülerin stand mir gegenüber und beobachtete mit einem verachtungsvollen Gesichtsausdruck meine unerfahrenen Hand-griffe, während ich Zunge, Augen und Zähne der Patientin unter-suchte. Ich setzte mein Stethoskop vorsichtig da und dort auf ihre Brust, obwohl meinen Ohren die Geräusche so wenig zu sagen wußten, wie das Rauschen des Meeres an einer fernen Küste.

Schließlich nahm ich die Hörmuscheln ab und sagte «Gut!», als hätte ich meine Diagnose beendet.

«Untersuchen Sie denn nicht mein Bauchi?» fragte die Blonde enttäuscht. «Alle Ärzte untersuchen mein Bauchi. Es ist ja das Bauchi, was mir weh tut.»

«Morgen», erklärte ich mit Festigkeit. «Ich muß jetzt operieren gehen.»

Wie hätte ich ihr in Gegenwart der Pflegerin sagen können, daß ich über das Bauchi noch nichts gelernt hatte?

Besichtigen, Betasten, Beklopfen, Behorchen — diese unwandelbare, stets anzuwendende vierfache Vorschrift wurde uns eingetrichtert wie der Drill den Rekruten. Welchen Teil des Patienten man immer untersucht, welches Leiden man immer vermutet, diese vier Vorgänge müssen in der angegebenen Reihenfolge durchgeführt werden. Zuerst schauen, dann fühlen; nach dem Fühlen darf man klopfen, aber nicht vorher; und ganz zum Schluß erst kommt das Stethoskop.

Ich begann die Patienten derart betrachten zu lernen, daß sogar der Glanz der Fingernägel zwölf Diagnosen zuließ. Man lehrte uns Beulen, Lebern und Milzen ertasten, korrekt perkutieren und das flüchtige Murmeln verstehen, das das Stethoskop weiterleitet. Diagnose ist simple Beobachtung plus angewandte Logik — in der Tat: die Arbeit des Detektivs. Man sucht nach den Spuren, faßt einen Verdacht und weiß, wo man sich nach dem Beweis umzusehen hat. Conan Doyle hat für seinen Sherlock Holmes einen Arzt als Vorbild genommen; umgekehrt ist das Verfahren genau so berechtigt.

Dr. Maxworth nahm seine Firma jeden Mittwoch vormittag auf seine Runde mit. Er war ein dünnes, ausgetrocknetes Männchen und zeigte sich in der Öffentlichkeit nie anders als in einem schwarzen Rock und in gestreiften Hosen. Er brachte in Wirklichkeit Studenten überhaupt kein Interesse entgegen. Die meiste Zeit seiner Runde vergaß er, daß wir seinen Spuren nachwimmelten, und erinnerte sich nur plötzlich an unsere Gegenwart, indem er uns kaum hörbar ein paar Brocken der Unterweisung über die Schulter zuwarf. Er war Spezialist auf dem Gebiete der Neurologie, der Erkrankungen des Nervensystems. Diese ist die reinste und akademischste medizinische Fachwissenschaft und erfordert zu ihrer Ausübung einen Geist, der fähig ist, simultan drei Spiele Schach zu bewältigen und die Pausen zwischen den Zügen mit dem Lösen von ein paar schweren Kreuzworträtseln auszufüllen. Da fast alle Nervenleiden, die wir im Krankensaal beobachteten, tödlich zu sein schienen, kam mir dieses Spezialgebiet recht unfruchtbar vor. Aber Maxworth erfüllte es mit dem erlesensten Vergnügen. Es handelte sich bei ihm nicht in erster Linie darum, die Patienten zu behandeln und zu heilen, sondern er war entzückt, wenn er sich eine Diagnose gutbuchen konnte, bevor die Totenbeschau sie ergab. Er war, wie sein Anstaltsarzt sagte, der typische Internist.

Mir wurde bald klar, in welcher Art die Oberschwester ihre

Herrschaft über den Krankensaal ausübte; ich ging ihr übrigens wie einem Radiumklumpen aus dem Weg. Jeder körperliche Vorgang, der gemessen werden konnte — der Puls, die Menge von Urin und Gebrochenem, die Zahl der Bäder —, wurde sorgfältig unter dem Namen des Patienten im Krankenbuch eingetragen; auf diese Weise reduzierte täglich ihre aggressive Handschrift die ungefähr zwanzig menschlichen Wesen im Saal auf eine Reihe Nummern.

Zwei physiologische Funktionen waren es vor allem, denen die Oberschwester ihr besonderes Interesse zuwandte. Die eine war die Temperatur. Die Fiebertabellen leuchteten einem nett und sauber vom Fußende der Betten entgegen, und jede wies eine akkurate horizontal verlaufende Zickzacklinie von verschiedener Wellenlänge auf. Die Oberschwester trug höchstpersönlich die Punkte und Linien darauf jeden Morgen und Abend ein. Die Temperatur wurde von den neu eingetretenen Pflegerinnen abgelesen, die vier bis fünf Thermometer benützten. Wenn auch infolge des Umstands, daß jeden Tag andere Instrumente an den einzelnen Patienten Verwendung fanden und die Pflegerinnen in unterschiedlicher Ungeduld danach brannten, die Glashülse herauszureißen, Ungenauigkeiten an der Tagesordnung waren, wurden die Eintragungen dennoch als unerläßlich angesehen. Irrtümer, die auf das Versagen des Quecksilbers oder der menschlichen Natur zurückzuführen waren, wurden jedoch nicht allzu wichtig genommen, da die Oberschwester stets Zahlen aus eigener Initiative einsetzte, wenn die vom Patienten gelieferten nicht mit ihrer Vorstellung von der dem Fall entsprechenden Temperatur übereinstimmten.

Das zweite Steckenpferd der Oberschwester war die Darmtätigkeit der Patienten. Jeden Abend wurde eine mit einem speziellen Merkbuch versehene Schwester auf die Runde geschickt, um nachzufragen, wie oft jeder Insasse des Krankensaals während der vergangenen vierundzwanzig Stunden seine Verrichtungen absolviert hatte. «Wie oft für das Buch?» pflegte sie mit reizender Züchtigkeit zu fragen. Die Patienten wurden von sportlichem Geist erfaßt; diejenigen, die der Schwester ein beachtliches Ergebnis zu vermelden hatten, ließen ihre Stimmen stolz schwellen, die anderen aber, die nur eine Null aufzuweisen hatten, gestanden dies voll Scham und unter der Decke verborgen.

Die Zahl der Verrichtungen wurde innerhalb eines speziellen Vierecks unten auf der Fiebertabelle eingetragen. Eine Null betrachtete die Oberschwester als Ungefälligkeit, mehr als zwei blanke Tage faßte sie als persönliche Beleidigung auf. Die Antwort darauf war einfach. Eine einzige Null wurde noch ungestraft hingehen gelassen, aber deren zwei bedeuteten automatisch Abführpillen, drei Rizinusöl, und vier die äußerste Strafe in Form eines Klistiers.

Wir gewöhnten uns rasch an unsere Position der Unterordnung unter jedermann vom Saalpersonal. Wie alle Lehrlinge wurden wir Studenten von den Vorgesetzten als billige Arbeitskräfte ausgenützt. Wir führten alle medizinischen Gelegenheitsarbeiten durch: Harnuntersuchungen, das Einführen von Haferschleimmahlzeiten in Patienten mit Zwölffingerdarmgeschwüren, Blutproben und ein paar einfache Untersuchungen. In den ersten Wochen schien alles leicht zu gehen. Erst gegen Ende des Trimesters beschlich mich die unbehagliche Gewißheit, daß ich auch jetzt noch nicht genug wußte, um zu verstehen, wie wenig ich wußte.

6

DAS EINDRINGEN DES MEDIZINSTUDENTEN IN DAS GEBIET DER CHIRURGIE geht gewöhnlich etwas dramatischer vor sich als die erste leichte Berührung mit der internen Heilkunde. Wenn auch heutzutage die Chirurgen nicht mehr die Gepflogenheit haben, einen Neuling im Hörsaal scherzeshalber mit einem frisch amputierten Bein zu bewerfen, so bekommt doch der Student angesichts der feuchtwarmen Atmosphäre, des anscheinend achtlos vergossenen Blutes und der menschlichen Eingeweide, die wie ein Kranz frischer Würste ausgebreitet sind, einen leichten hysterischen Anfall – ein Mißgeschick, das ihm von seiten seiner ungerührten Kollegen das dürre Mitgefühl, das man etwa einem seekranken Mitpassagier zuwendet, einträgt.

Nichtsdestoweniger begann ich das Studium der Chirurgie mit dem Gefühl, meinen Vorgängern vor zehn oder fünfzehn Jahren überlegen zu sein. Da ich ziemlich regelmäßig ins Kino ging, war mir das Innere eines Operationssaals bereits so vertraut wie das Ordinationszimmer meines Vaters. Vom Sitzplatz des heimischen Filmtheaters aus hatten nicht nur ich, sondern auch die meisten anderen Leute eine gründliche und schmerzlose Kenntnis dessen erworben, was hinter jenen Türen, die als «steril» markiert sind, vor sich geht. Ich hatte mich schon auf alles eingestellt: auf die gestärkten weißen Mäntel, das kühle, gelassene Hantieren, das angespannte, konzentrierte Schweigen, das nur durch das Klirren der Instrumente, ein kurzes befehlendes Wort des Chirurgen oder den überstürzten Ruf der Operationsschwester nach einer frischen Ligatur unterbrochen wird. Ich bereitete mich darauf vor, dem feierlichen Akt einer Operation beizuwohnen, bei dem der bewußtlose Patient gleicherweise im Brennpunkt der Aufmerksamkeit der Anwesenden wie in dem des starken Scheinwerfers liegt.

Meine chirurgische Ausbildung sollte ich bei Sir Lancelot Spratt erhalten. Mein offizieller Titel war der eines «Dressers» Sir Lancelots, was nicht bedeutete, daß ich ihm beim Anlegen seiner weißen Ordinationshosen im Umkleideraum behilflich sein mußte, sondern daß mir die Verantwortung für das tägliche Bandagieren von drei bis vier Patienten im Krankensaal übertragen wurde. Diese Bezeichnung strahlte so etwas wie eine freundliche Würde aus und erweckte den Eindruck, daß man als Student wirklich nützliche Spitalsarbeit leistete, anstatt, wie es einem ununterbrochen vom Pflegepersonal und vom Anstaltsarzt vorgehalten wurde, jedermann wie ein verspieltes Kätzchen im Wege zu stehen.

Die Zugehörigkeit zu Sir Lancelots Firma bedeutete so etwas wie eine Ehrung, denn er war der Chefchirurg des Spitals und eine seiner bekanntesten Gestalten. Er war eine große, knochige und rotgesichtige Erscheinung mit einem Kahlschädel, um den ein flaumiger weißer Haarkranz wie ein Wolkenring um eine Bergesspitze schwebte. Er war stets tadellos rasiert und maniküert und trug Anzüge, deren Schnitt beträchtlich geschickter angelegt war, als ihn seine Hand bei so manchen seiner operativen Eingriffe führte. Er stand gerade im Begriff, sich vom Schlachtfeld der Chirurgie zurückzuziehen, auf dem er (mit gleichem Profit) in etlichen hochdramatischen Scharmützeln gewonnen oder auch verloren hatte; bei Tischreden und ähnlichen Anlässen wurde er stets von seinen Kollegen als «ein Chirurg der großen alten Schule» bezeichnet. Privatim verliehen sie ihm das weniger reizvolle, aber gleichstarke Epitheton «dieser verdammte alte Schlächter». Seine Studenten genossen das Glück, in seinem Operationssaal chirurgischen Eingriffen von einer Ausdehnung und Originalität beiwohnen zu können, wie man sie sonst nirgendwo sah. Nichts war zu groß, als daß er es nicht herausgeschnitten hätte, und kein Organ pflegte länger als eine Woche *in situ* zu bleiben, hatte er einmal den Eindruck gewonnen, daß es einen unbestimmten, jedoch bösartigen Einfluß auf den Patienten ausübe.

Sir Lancelot repräsentierte eine Generation blutvoller, energischer Chirurgen, welche — wie ganz krasse Scharlachfälle — heutzutage in den Spitälern selten geworden sind. In seiner berufsmäßigen Angriffslust war er ein Nachfolger Listons, Pagets, Percival Potts und Moynihans, denn er wuchs in jenen Tagen heran, da chirurgische Eingriffe für den Patienten die einzige Hoffnung auf Heilung bedeuteten, jenen Tagen, bevor komplizierte Betäubungsmittel, Penicillin, Bluttransfusionen und anderes Rüstzeug der modernen Wundarznei die Geschicklichkeit des Chirurgen in den Hintergrund drängten und vollends mit dem Untergang bedrohten.

Sir Lancelot hatte sich, hauptsächlich aus den Notschreien alter Herren, ein Vermögen erworben und verlangte zweihundert Guineen für eine Blinddarmoperation zu einer Zeit, da Aneurin Bevan noch im Ebbw Vale einen Förderwagen vor sich her stieß [1]. Sein eigentlicher Erfolg begann in den Zwanzigerjahren, als er infolge einer kleinen, aber wichtigen Operation an einem Kabinettsminister, die diesem ein bequemeres Ausharren auf seinem Sitz im Parlament ermöglichte, in den Adelsstand erhoben wurde. Der Minister war entzückt und rekommandierte ihn in jedem einflußreichen Salon Londons weiter. Damals setzte es sich Sir Lancelot gerade in den Kopf, den Rheumatismus durch die Entfernung sämtlicher Körperorgane, die zur Erhaltung des Lebens nicht unbedingt notwendig sind, zu heilen. Da die meisten Leute über fünfzig an Rheumatismus leiden und man diesen durch keine Behandlungsart viel besser oder viel schlechter machen kann, verzehnfachte sich seine Praxis über Nacht.

Die Rheumatismus-Manie dauerte lange genug an, daß er sich ein Haus in der Harley Street, eine Villa an der Themse, ein Landgut in Sussex, eine kleine Segeljacht und einen neuen Rolls Royce kaufen konnte, in welchem er zwischen den vier erstgenannten und dem Spital hin und her flatterte. Nun war er bereit, jedwedes Ding zu operieren — er war, wie er seinen Dressern voll Stolz erzählte, einer der letzten universellen Chirurgen. Er behauptete, einen Magen oder ein Paar Mandeln mit dem gleichen Erfolg entfernen zu können, wie er sich imstande sah, ein Bein zu amputieren oder eine Lunge herauszuschneiden.

Jeden Dienstag und Donnerstag nachmittag operierte er in sei-

---

[1] Aneurin Bevan: Bergarbeiter, 1945—1950 britischer Gesundheitsminister; führte den unentgeltlichen Gesundheitsdienst ein.

nem eigenen Saal im Erdgeschoß. Das Verzeichnis der angesetzten Operationen wurde wie ein Konzertprogramm außen an der Türe angeschlagen — die besten Fälle, die Sir Lancelot höchstpersönlich behandelte, standen stets an der Spitze der Liste; das weitere Programm entartete zu einer Reihe ähnlich inferiorer chirurgischer Gelegenheitsarbeiten, wie es Bruchoperationen oder das Entfernen von Krampfadern sind; sie wurden von seinen Assistenten vorgenommen, wenn er in seinen Klub gegangen war, um sich vor dem Abendessen noch ein Gläschen Sherry zu genehmigen.

Am ersten Dienstag nach meiner Aufnahme in die Firma stieg ich die Treppe zum Operationssaal empor — die Studenten durften nicht den Spitalaufzug benützen — und betrat das Ankleidezimmer der Dresser. Eine Reihe von Röcken und Krawatten hing unter einer Warnungstafel mit drei Zoll hohen Buchstaben: LASSE NICHTS IN DEN ROCKTASCHEN ZURÜCK! Jeder, der im Operationssaal zu tun hatte, mußte sterilisierte Kleidung tragen; diese war in drei metallenen Behältern untergebracht, die man durch eine Fußvorrichtung öffnen konnte. Mittels einer langen sterilen Pinzette entnahm ich dem ersten eine längliche Kappe, dem zweiten eine Maske und dem dritten einen zusammengerollten weißen Mantel. Unglücklicherweise gab es keine Hinweise auf die Größe dieser Hüllen; so fiel der Mantel wie ein Brautkleid über meine Füße, während die Kappe auf meinem Haupte balancierte wie eine Kirsche auf einer Portion Eiscreme. Ich stieß die Türe des Operationssaales auf und betrat diesen so ehrfurchtsvoll, wie ein Tourist in eine Kathedrale schreitet. Ich blieb bei der Türe stehen, die Hände fest auf meinem Rücken verschränkt, da ich nichts sehnlicher wünschte, als der allgemeinen Aufmerksamkeit zu entgehen. Ich hatte das Gefühl, daß selbst mein Atem, der mir wie das Dröhnen einer Kirchenorgel in die Ohren klang, die sterile und geräuschlose Atmosphäre dieses Raumes störend unterbrechen würde. Außerdem war ich meiner Reaktionen beim Anblick zerschnittenen Fleisches nicht ganz sicher und wünschte mich dem Tätigkeitsfeld so fern wie möglich zu halten.

«Heda, Bursche!»

Sir Lancelots Kopf lugte über die Kappen seines Gefolges empor. Das einzige, was ich von ihm sehen konnte, war ein buschiger brauner Streifen zwischen dem oberen Ende seiner Maske und dem Rand seiner Kappe, aus dem zwei grimmige Augen starrten, denen eines hungrigen Tigers gleich, der im Dschungel einem Eingeborenen auflauert.

«Kommen Sie her!» rief er schallend. «Wie oft muß ich euch Kerlen noch sagen, daß ihr die Chirurgie nicht vom Türpfosten aus erlernen könnt?»

Der Operationstisch stand inmitten des kahlen, gekachelten Raumes, direkt unter der großen Lampe, die wie eine riesige umgekehrte Untertasse von der Decke herabhing. Er war vollkommen unsichtbar, denn an die zwanzig Gestalten umstanden ihn, aneinandergepreßt wie Fahrgäste der Untergrundbahn in den Hauptverkehrszeiten. Es waren hauptsächlich Studenten. Der Operationsstab bestand aus Sir Lancelot selbst, der alle anderen um Haupteslänge überragte, seiner neben ihm auf einer kleinen Plattform stehenden Operationsschwester, die eine Maske trug und ihr Haar sorgfältig unter einem sterilen weißen Turban zurückgesteckt hatte, seinem ersten Anstaltsarzt, Mr. Stubbins, seinem Assistenten, Mr. Crate, der ihm von der gegenüberliegenden Seite Beihilfe leistete, und seinem Narkotiseur, der an der Kopfseite des Tisches neben einer verchromten fahrbaren Apparatur auf einem kleinen Klavierschemel saß und den *Daily Telegraph* studierte. Außerhalb dieses Getümmels schossen ängstlich zwei Pflegerinnen in sterilisierter Gewandung umher, die in kleinen metallenen Schalen die ausgekochten Instrumente auftrugen, Kellnern vergleichbar, die Spaghetti servieren. Ein Operationsdiener, ebenfalls in Mantel und Maske, lehnte sich versonnen an eine Art Handtuchständer, der zum Abzählen der Tampons verwendet wurde, ein zweiter kam mit einem frischen Sauerstoffzylinder auf der Schulter herein. Das einzige Anzeichen, daß hier überhaupt ein Patient anwesend war, war ein Paar Füße in dikken, grobgestrickten Bettsocken, welches in ergreifender Weise den Zuschauerkreis an einer Stelle durchbrach.

Im Augenblick, da Sir Lancelot sprach, öffnete sich die Gruppe rund um den Tisch, als wäre er Aladdin am Eingang seiner Höhle. Ein Bild des Jammers, schritt ich auf den Mittelpunkt zu. Meine Kollegen schlossen sich hinter mir wieder zusammen, und ich fand mich Sir Lancelot gegenüber neben einen Burschen gepreßt, der in der zweiten Stürmerreihe des Spitalsteams unmittelbar hinter mir spielte. An Flucht war daher nicht zu denken, sowohl aus physischen als auch aus moralischen Gründen.

Die Operation begann gerade. Der Patient war noch immer unsichtbar, da sein Körper mit Ausnahme eines glattrasierten Streifens der rechten unteren Bauchpartie, auf den sich das Licht der Operationslampe konzentrierte, mit sterilisierten Tüchern bedeckt war. Ich konnte nicht einmal erkennnen, ob es sich um einen jungen Mann oder eine Frau handelte.

Nachdem mir Sir Lancelot einen Ersten-Rang-Platz aufgezwungen hatte, schien er sich weiterhin um meine Existenz nicht mehr zu kümmern. Er machte eine Pause, um die Stulpe des Gummihandschuhs zu richten, den er über seine knochige Hand gezogen hatte. Stubbins und Crate hielten Gazebäuschchen bereit, und die Operationsschwester fädelte Catgut so gleichmütig durch die Nadeln, als ginge sie daran, ihre Strümpfe zu stopfen.

«Stubbins», sagte Sir Lancelot im Plauderton, indem er einen drei Zoll langen Einschnitt über dem Blinddarm machte, «seien Sie so gut und erinnern Sie mich daran, daß ich auf meinem Heimweg einen Sprung zu Fortnum mache; meine Alte macht mir die Hölle heiß, wenn ich schon wieder ihren Ingwer vergesse. Hoffentlich war schon alles für den Beginn vorbereitet?» fragte er den Narkotiseur.

Der *Daily Telegraph* raschelte leise zustimmend.

Ich war überrascht. Ingwer in einem Operationssaal? Einkaufslisten, die die Heiligkeit der Handlung durchbrachen? Und der *Daily Telegraph?*

«Ich muß euch Burschen eine verdammt komische Geschichte erzählen», setzte Sir Lancelot fort, indem er den Einschnitt vertiefte. «Ihr werdet euch vor Lachen biegen. Ist mir letzte Woche passiert. Taucht da eine alte Dame in meiner Ordination in der Harley Street auf... Schwester!» rief er plötzlich verärgert, «erwarten Sie von mir, daß ich mit einem Buttermesser operiere? Dieses Messer da ist eine Schande!»

Er warf es auf den Boden. Sie reichte ihm ein anderes, ohne ihn anzublicken.

«Das ist besser», brummte Sir Lancelot. Dann fuhr er in seinem früheren Tonfall fort, als bestünde er aus zwei in einem Gespräch befindlichen Personen: «Wo bin ich stehengeblieben? Richtig, bei der alten Dame. Nun, sie erklärte mir, auf die Empfehlung Lord... na, Lord Soundsos hin gekommen zu sein – ich kann mir diese verdammten Titel nicht merken –, den ich im vergangenen Jahr operiert hatte. Sie sagte, daß sie überzeugt sei, Gallensteine zu haben.

Ja, sagen Sie einmal, Stubbins, müssen Sie und Crate einander immer im Weg stehen? Sie haben die Aufgabe, diesen Gazebausch vernünftig zu placieren, nicht, ihn wie die Fahne der Heilsarmee herumzuschwenken. Wie soll ich, zum Teufel, anständig operieren, wenn rundherum alles in Blut schwimmt? Warum habe ich fort-während das verwünschte Pech, Assistenten mit zwei linken Hän-den zu besitzen? Und ich brauche eine Klammer, Schwester. Los, Weib, ich kann nicht die ganze Nacht darauf warten!»

Sir Lancelot hatte während des Sprechens die Bauchwand durch-schnitten, ungeduldig wie ein Kind, das in ein Weihnachtspaket gucken möchte.

«Nun», fuhr er, wieder eitel Leutseligkeit, fort, indem er der Operation jene Konzentration zuwandte, mit der ein im Schwatzen begriffenes Weibsbild ein Paar Socken stopft, «ich sagte zu der alten Dame: ‹Gallensteine, he? Nun, meine Liebe, was bringt Sie zu der Annahme, daß Sie Gallensteine haben?› Noch nie im Leben habe ich da jemand so verlegen dreinblicken gesehen!»

Er wandte sich wieder der Operation zu.

«Was für eine Struktur ist das, meine Herren?»

Vom äußersten Ende der Zuschauermenge kam eine Antwort aus der Maske eines Studenten hervor.

«Ganz richtig, wer immer Sie sein mögen», sagte Sir Lancelot, jedoch ohne jede Anerkennung in seinem Tonfall. «Freut mich, zu sehen, daß ihr Burschen euch nach zwei Jahren Studium im Seziersaal noch ein bißchen an die Fundamente der Anatomie er-innert ... und ich wunderte mich, was sie auf einmal hatte. Schließ-lich sind doch Gallensteine kein Anlaß zu einer derartigen Ver-legenheit. Nur Hämorrhoiden und ähnliches Zeugs, und auch da sind nie die alten Damen die Zimperlichen, sondern die ewig jun-gen Männer. Erinnern Sie sich an diesen Wink, meine Herren ... Hallo, Stubbins, wachen Sie auf! Sie sind nutzlos wie ein Euter an einem Stier.»

Er förderte den Appendix aus der Wunde ans Tageslicht, in der Art, wie ein Vogel einen Wurm aus dem Erdreich aufpickt, und legte ihn samt dem daran hängenden Darmstück auf ein klei-nes Gazeviereck.

«Da sagte die alte Dame zu mir: ‹Sir Lancelot, es sind tatsäch-lich jeden Monat welche abgegangen ...› Lehnen Sie sich nicht an den Patienten an, Stubbins! Wenn *ich* nicht müde bin, brau-chen Sie es auch nicht zu sein, und ich bin Ihnen vierzig oder fünf-zig Jahre voraus, mein Lieber.

So, nun kommen wir zum interessanten Teil der Geschichte. Sie zeigte mir eine kleine Schachtel, ähnlich diesen Dingern, in denen man Hochzeitskuchen verschickt ... Schwester! Was in des Teufels Namen fädeln Sie durch Ihre Nadeln? Das ist kein Catgut, das ist Schiffstau! Was sagen Sie, Weib?» Er neigte ihr ein rotes Ohr zu, das unter seiner Kappe hervorsah. «Sprechen Sie deutlich, brummen Sie nicht in Ihren Bart! Ich bin nicht heftig, verdammt noch einmal! Ich bin im Operationssaal nie heftig. Gut, sagen Sie es Ihrer Oberin, aber geben Sie mir eine anständige Ligatur. Die geht eher an. Einen Tampon, Mann, einen Tampon! Stubbins, habe ich Ihnen von der Oberin erzählt, als sie noch zur Operationsschwester angelernt wurde? Sie war entsetzlich in einen Kollegen von mir verknallt, einen Chirurgen — einen Burschen namens Bungo Ross, der wie ein Fisch soff und wie der Teufel hinter den Weibern her war. Wurde ein angesehener praktischer Arzt in Bognor oder sonstwo. Starb im letzten Jahr. Ich schrieb ihm einen verflucht guten Nachruf im *British Medical Journal*. Nun binde ich die Appendicular-Arterie ab, meine Herren. Sehen Sie? Was wollen Sie, Stubbins? Oh, die alte Dame! Es waren Kirschkerne.»

Er warf den Appendix in eine kleine emaillierte Schale, die ihm Stubbins hinhielt.

«Sieht ein bißchen sonderbar aus, dieses Ende, George», sprach er zum Narkotiseur hin. «Ich hoffe, es ist alles in Ordnung?» Der Narkotiseur befand sich diesmal in einer Ecke des Operationssaals und sprach angelegentlich mit einer der Pflegerinnen, die die Instrumente serviert hatten. Die operationsmäßige Aufmachung steht den Pflegerinnen ungünstig zu Gesicht; sie läßt sie wie weiße Bündel erscheinen. Aber man konnte es dieser einen von der rauhen Schale ablesen, von den schmalen, schwarzbestrumpften Fesseln, die unter ihrem Rock, und den großen Augen, die über ihrer Maske hervorsahen, daß diesmal das Auspacken lohnen würde. Der Narkotiseur sprang zu seinem Rolltisch zurück und begann an dessen Knöpfen zu drehen. Die Schwester, die bereits in einer wilden Stimmung war, versetzte der Pflegerin eine Blick-Injektion, die eitel Strychnin enthielt.

«Pinzette, Schwester!» brüllte Sir Lancelot. Sie reichte ihm eine, die er genau betrachtete, indem er sie knapp vor seiner Maske auf und zu schnappen ließ. Aus irgendeinem Grund erregte sie sein Mißfallen; er schleuderte sie über die Köpfe der Versammelten hinweg an die entgegengesetzte Wand. Dies rief keinerlei Überraschung hervor und schien eine seiner üblichen Gepflogenheiten zu sein. Die Schwester gab ihm ruhig eine zweite.

«Stimmen die Tampons, Schwester, bevor ich Schluß mache? Gut! Das ist enorm wichtig, meine Herren. Haben Sie einmal einen Tampon in einem Patienten drin gelassen, sind Sie für Ihr ganzes Leben erledigt. Gerichtsverhandlung, Schadenersatz, Presseskandal und ähnliches Zeugs. Das ist das einzige Mißgeschick in der Chirurgie, von dem die verfluchte Öffentlichkeit was zu verstehen sich einbildet. Schneidet man ihnen die Gurgel durch, wenn sie in der Narkose liegen, ist alles in Ordnung; aber läßt man was in ihnen liegen, kommt man, hast du nicht gesehn, in die ‹News of the World›. Schieben Sie die Naht zusammen, Stubbins. Der nächste Fall? Teezeit? Ausgezeichnet. Das Operieren macht mich immer durstig.»

7

WÄHREND DER FOLGENDEN DREI MONATE ERFUHR ICH EINIGES ÜBER die Chirurgie und eine Menge über die Chirurgen. Über Sir Lancelot erfuhr ich mehr, als ich wollte.

Im Operationssaal war er ein Gott. Die Operationen wurden ausschließlich nach seinen Wünschen angesetzt. Morgens wärmte eine Schwesternschülerin sorgfältig eine frisch gestärkte weiße Leinengarnitur für ihn vor, ehe sie sie in seinem Ankleideraum bereitlegte. Eine Thermosflasche mit eisgekühltem Wasser, die die Aufschrift «Nur für Sir Lancelot Spratt» trug, wurde auf ein silbernes Tablett daneben gestellt. Er besaß seine eigenen Masken, seine eigene Handbürste und seine eigene Seife. Wenn er im Operationssaal vom Waschbecken zum Tisch schritt, stoben die Anwesenden vor ihm auseinander wie unbewaffnete Infanterie vor einem Panzerwagen. Wenn ihm jemand im Weg stand, bekam er einfach einen Fußtritt ab. Sir Lancelot verlangte selten ein Instrument, sondern setzte voraus, daß die Schwester erriete, welches sie in seine wartende Hand zu legen habe. Wenn sie sich irrte, ließ er das falsche Instrument einfach auf den Boden fallen. Wenn sie bei einem zweiten Versuch nicht das richtige traf, wiederholte er seinen kleinen Trick. Einmal verwandelte er schweigend ein ganzes Tablett voll Instrumenten in einen gar nicht sterilen Haufen zu seinen Füßen, und die Schwester bekam einen hysterischen Anfall.

Sir Lancelots Persönlichkeit hatte etwas von einer Lawine an sich, und seine offenherzige Art, mit den Patienten umzugehen, eignete sich in gleicher Weise für das Schlafgemach einer Herzogin wie für das Spitalsambulatorium. Er strahlte Vertrauenswürdigkeit aus wie ein Leuchtturm im Sturm. Seine Vorschläge bezüglich der Entfernung von Organen stießen auf keine Einwände von seiten seiner Patienten. Je mehr er ihnen antat, je größer die Komplikationen waren, die sich aus seinen Eingriffen ergaben, je höher die Zahl der zusätzlichen Operationen wurde, die er zur Wiedergutmachung seiner Irrtümer vornehmen mußte, desto dankbarer waren sie: es gab keinen, der nicht voll des Dankes starb.

Seine Unterweisungen im Krankensaal waren ebenso blutvoll wie seine Operationen. Er verfügte über eine lange Kette von Aphorismen und chirurgischen Anekdoten, deren keine originell oder zutreffend war, aber sie blieben in den Hirnen seiner Studenten haften, nachdem die wäßrigen Vorlesungen seiner Kollegen längst verdampft waren.

Seine Runde trat er jeden Dienstag um zehn Uhr vormittags an; sie rief im Krankensaal dieselbe Wirkung hervor wie die Inspektion eines kleinen Kriegsschiffs durch den Admiral.

Die Vorbereitungen zu seiner Visite begannen ungefähr um fünf Uhr früh. Die Nachtschwestern machten sich an die lange Arbeit, den Krankensaal bis zum äußersten Grad fleckenloser Sterilität auszuputzen, und wenn die Oberschwester und ihr Tagespersonal um sieben Uhr eintrafen, wurde die Energie, die man darauf verwandte, den langgestreckten Raum so zu präparieren, daß nicht das geringste daran das Auge des großen Mannes verletzen konnte, verzehnfacht. Alles, was er enthielt, wurde gründlichst geschrubbt und poliert – der Fußboden, die Arzneischränke, die Fenster, die Instrumente, die Gesichter der Patienten. Die Nachtkästchen, auf denen sich gewöhnlich ein freundliches Durcheinander von Zeitungen, Seifen, Marmeladegläsern, Totozetteln und Gerstenschleim tummelte, wurden leergefegt, gereinigt und ausgeräumt. Sogar die Blumen sahen sterilisiert aus.

Die Spannung und die Tätigkeit im Krankensaal erhöhten sich gleichzeitig im selben Maße wie die Temperatur und der Puls bei einem Fieberanfall. Um neun kam der erste Anstaltschirurg in einem frischen weißen Rock auf einen Sprung herein, um sich durch ein besorgtes, im Flüsterton mit der Oberschwester geführtes Gespräch zu vergewissern, daß alles, was der Chef auf seiner letzten Visite angeordnet hatte, durchgeführt worden war. Auf die Patienten warf er keinen Blick. An einem derartigen Morgen waren sie ein Teil der Saaleinrichtung, oder zumindest Instrumente, an Hand deren das Personal Sir Lancelot seine Tüchtigkeit demonstrieren konnte.

Einen Punkt gab es jedoch, in dem den Patienten ihre menschliche Existenz nicht abgeleugnet werden konnnte. Um neun Uhr fünfzehn wurden die Leibschüsseln herumgereicht. Sonst erforderte die Erlangung eines einzigen derartigen Geräts zu dieser Stunde (die offiziellen Benützungszeiten waren sieben Uhr früh und fünf Uhr nachmittags) eine Anstrengung, die sich nur jener an die Seite stellen ließ, mit der man in einem überfüllten Restaurant das Auge des Kellners auf sich zu lenken trachtet. Dienstag um neun Uhr fünfzehn jedoch wurden sie den Patienten aufgezwungen. Die Pflegerinnen traten flott aus dem Spülraum; jede trug unter einem Tuch ein Paar davon. Das geschah deswegen, weil die Oberschwester die Anforderung dieses Artikels in Gegenwart Sir Lancelots als im höchsten Maße unbillig, ja schamlos empfand.

Die Leibschüsseln wurden eine Viertelstunde vor der Zeit, da der Chef fällig war, weggerissen. Darauf folgte ein energiegeladenes Finale von zehn Minuten, ausgefüllt mit einem Prozeß, der «die Patienten in Ordnung bringen» benannt wurde. Es konnte doch wirklich nicht angehen, daß diese die allgemeine Symmetrie der Szene durch ein willkürliches Herumlungern in den Betten störten — das wäre so gewesen, wie wenn eine Kompanie Soldaten mit den Händen in den Hosentaschen angetreten wäre. Sie mußten dem Saal in einer netten und unaufdringlichen Weise angepaßt werden. Die Technik war ganz einfach. Ein Paar Pflegerinnen fiel über den Patienten her. Zuerst wurde er in eine sitzende Stellung emporgeschleudert und darin von der einen Pflegerin festgehalten, während die andere seine Polster glättete und auf ein Viereck ausrichtete (die offenen Enden der Überzüge mußten nach der der Tür entgegengesetzten Richtung schauen). Dann wurde er sanft auf den Rücken gelegt, damit er nicht unnötigerweise die glatte Oberfläche mit seinem Kopf zerdrückte. Die Bettdecke wurde von den beiden jungen Frauen oben angefaßt· und wie beim Seilziehen gestrafft; darauf spannten sie sie, von den Füßen des Patienten aufwärts manipulierend, derart, daß ihr oberer Rand im selben Niveau wie dessen Nasenlöcher lag. Mit einem schnellen Handgriff schlugen sie sie, ohne in der Spannung nachzulassen, rundherum fest ein. Dadurch wurde es dem Patienten unmöglich gemacht, die leiseste Muskelbewegung auszuführen, ein sehr seichtes Atmen ausgenommen.

Um zehn war der Krankensaal still, ordentlich und geruchlos. Die Oberschwester und die Pflegerinnen hatten frische weiße

Schürzen angelegt und jeder von ihnen war wie Moses zumute, im Augenblick, da er die Spitze des Berges Sinai betrat. Indessen hatte sich nicht weit davon entfernt ein zweiter Brennpunkt der Aufregung gebildet.

Es war eine Tradition St. Swithins, daß der Chef im Hof von seiner Firma begrüßt und sodann in den Krankensaal geleitet wurde. Die Chirurgen erwartete man vor dem Standbild Sir Benjamin Bones, die Internisten vor dem Lord Larrymores. Diese Art des Empfanges hatte zur Folge, daß jedermann dabei im Winter fror, im Sommer schwitzte und das ganze Jahr hindurch naß wurde; und da dies offenbar drei- oder vierhundert Jahre so gehalten worden war, bot sich der ausgezeichnete Grund, eine Änderung daran abzulehnen.

Wir versammelten uns zu unserer ersten Saalrunde unter dem kalten Auge Sir Benjamins. Die Unterschiede, die die Firma spalteten und an den Dienstagmorgen besonders hervortraten, waren bereits offenbar geworden. Die Studenten standen in einer kleinen gebändigten Gruppe hinter dem Standbild. Wir trugen unsere Anzüge, aus deren Taschen die Stethoskope hervorlugten, und hielten Notizbücher unterm Arm. Wir plauderten ruhig miteinander, hätten uns jedoch nie in den Sinn kommen lassen, Worte mit den zwei Anstaltschirurgen zu wechseln, die abseits standen und sich gegenseitig mit einem Ausdruck angespanntesten Ernstes anmurmelten.

Die dritte Abteilung des Treffens bestand einzig und allein aus Crate, dem Ersten Assistenten. Er durfte einen langen weißen Mantel wie der Chef tragen, aber da er keinen Gesprächspartner hatte und in einem derart feierlichen Augenblick unmöglich mit den Spitalsärzten oder gar den Studenten sprechen konnte, mußte er sich damit begnügen, auf eine nachdenkliche und ernste Art in den Himmel zu starren, als beschäftigte sich sein Geist mit den Subtilitäten der Chirurgie oder als versuchte er das Wetter vorauszusagen.

Um zehn bog der Rolls in den Hof ein und blieb unserer Gruppe gegenüber stehen. Crate öffnete den Schlag und wünschte Sir Lancelot einen guten Morgen. Der Chauffeur fuhr den Wagen zum Parkplatz und der Chef verschwand mit seinem Assistenten in Richtung des Gemeinschaftsraumes, um seinen Hut abzulegen und seinen weißen Mantel anzuziehen. Nach ihrem Wiedererscheinen folgten ihnen die übrigen in den Krankensaal.

Sobald Sir Lancelot durch die Türe des Saals fegte, reihten sich

weitere Personen in sein Kielwasser ein. Es wäre tatsächlich ein
Ding der Unmöglichkeit gewesen, einen Mann seiner Bedeutung
überhaupt in St. Swithin herumgehen zu lassen, ohne sich ihm
in einer unmittelbaren Prozession anzuschließen. Als erster kam
natürlich Sir Lancelot, der heilende Donnergott. Einen Schritt hinter ihm sah man den Ersten Assistenten, und hinter diesem die
beiden Anstaltschirurgen, von denen der ältere führte. Nach diesen kam die Oberschwester; ihre lang herabhängende Haube flatterte ihr hinterher wie ein Windsack in einem Flughafen. Ihr folgte die erste Abteilungsschwester mit einem Tablett voll auf Hoch-
glanz polierter Instrumente zum Betasten, Kratzen und Kitzeln
der Patienten, Hilfsmittel zur Erstellung der Diagnose. Sir Lancelot verwendete nie eins davon, kannte wahrscheinlich gar nicht
deren Gebrauch, aber sie wurden trotzdem jeden Dienstag feierlich ans Tageslicht gefördert wie ein Zeremonienstab. Hinter der
Abteilungsschwester trug eine Hilfsschwester ein dickes Brett mit
einer Papierauflage, an dem mittels eines Bindfadens ein Bleistift
befestigt war. Das Brett war mit der eindrucksvollen Aufschrift
«SIR LANCELOT SPRATTS ZEICHENBLOCK» versehen. Auf diesem
pflegte er manchmal anatomische Einzelheiten zu skizzieren; es
geschah nicht oft, vielleicht alle sechs Monate einmal, aber der
Block mußte blitzschnell zur Stelle sein, wenn er danach verlangte.
Als Nachtrab der Hilfsschwester kam in den Wintermonaten noch
eine Schwesternschülerin mit einer in eine kleine rote Decke ein-
gehüllten Wärmflasche, damit Sir Lancelot seine Hände daran
halten konnte, bevor er sie auf entblößte Körperstellen legte.

Am Ende des Zuges, noch hinter der Wärmflasche, kamen die
Studenten: ein uneinheitlicher, ungeordneter Trupp von Vaganten.

Der Chef verwandte zwei Stunden darauf, die Kandidaten für
die nachmittägige Operationsliste zu untersuchen; er führte uns
an ihnen die Grundregeln der Chirurgie vor. Manchmal verging
der ganze Vormittag über einem Fall, wenn der Patient ein Geschwür besaß, das ihn hinlänglich interessierte; an anderen Diens-
tagen wieder pflegte er den Krankensaal zu durchrasen, ein Ma-
schinengewehrfeuer von Diagnosen von sich gebend. Sitzen war
verboten, und gegen die Mittagszeit wechselten die Studenten bereits mühsam von einem Fuß auf den anderen. In Sir Lancelots
Augen war jeder junge Mann, der außerstande war, sich mehrere
Stunden hindurch auf seinen eigenen Beinen zu erhalten, ein
ebenso unerfreuliches Produkt des modernen Zeitalters wie der
Sozialismus.

Auf unserem ersten Saalrundgang wurden wir schnell durch die Präzision, mit welcher der Rest der Truppe sich in den Zug einreihte, an die uns gebührende Stelle verwiesen. Sir Lancelot schritt den Saal entlang, machte plötzlich halt und überblickte die Patienten in den beiden Bettreihen, indem er wie ein Hund schnupperte, der eine Fährte aufnimmt. Sodann brauste er zum Bett eines kleinen, nervösen Mannes hinüber, das in einer Ecke stand. Die Firma nahm sofort eine neue Aufstellung ein wie ein gutgedrillter Zug Soldaten bei einer Übung. Der Chef wuchtete zur Rechten des Kopfes des Patienten; die Oberschwester stand ihm gegenüber, die Pflegerinnen drängten sich hinter ihr zusammen; die Studenten umgaben das Fußende und die Seiten des Bettes wie ein Schirm; und der Assistent sowie die Anstaltsärzte nahmen etwas entfernter Aufstellung, in einer Distanz, die zu erkennen gab, daß sie keiner weiteren chirurgischen Unterweisung bedurften.

Sir Lancelot schlug die Decke zurück wie ein Zauberkünstler, der einen erfolgreichen Trick enthüllt.

«Sie haben nichts anderes zu tun als hübsch still zu liegen», schrie er dem Patienten aufgeräumt ins Ohr. «Achten Sie gar nicht auf das, was ich diesen jungen Doktoren da sagen werde. Sie würden übrigens sowieso kein Wort von dem verstehen, worüber wir plaudern. Ziehen Sie ihm den Pyjama aus, Schwester. Nun werfen Sie, mein Junge», fuhr er fort, mich fest am Arm packend, da ich ihm zunächst stand, «einen Blick auf diesen Abdomen.»

Ich streckte eine Hand aus, um den Patienten behutsam in der Nabelgegend abzutasten. Ich bemerkte, daß er eine Gänsehaut hatte und hie und da nervös zusammenzuckte.

«Weg mit Ihrer dreckigen Pfote!» rief Sir Lancelot wild und wischte meine Hand von der Bauchdecke herunter wie eine Fliege. Er machte eine feierliche Pause und fuhr in gewichtigem Ton fort, den Zeigefinger erhebend: «Die oberste Regel der Chirurgie, meine Herren, ist: mit den Augen am ersten und meisten, mit den Händen am nächsten und wenigsten, mit der Zunge überhaupt nicht. Schauen Sie zuerst gut und schwatzen Sie nicht. Eine ausgezeichnete Regel, die Sie sich Ihr ganzes Leben lang vor Augen halten sollten. Nun schauen Sie, mein Junge, schauen Sie.»

Ich starrte den Bauch eine volle Minute an, aber er erschien mir nicht anders als die, die man etwa am Strand von Brighton erblicken kann. Als ich der Meinung war, daß ich ihn für den Chef, der sich drohend über mir erhob, genügend lang besichtigt hatte, streckte ich schüchtern einen Arm aus und stach mit den Fingern da und dort auf der Suche nach einem Geschwür herum.

«*Doucemang, doucemang*», ergriff Sir Lancelot wieder das Wort. «Sachte, mein Junge — Sie kneten da keinen Brotteig. Erinnern Sie sich» — wieder erhob er warnend den Zeigefinger —, «ein erfolgreicher Chirurg muß das Auge eines Falken, das Herz eines Löwen und die Hand einer Dame haben.»

«Und die kommerzielle Moral eines levantinischen Wucherers», murmelte Grimsdyke in seinen Bart.

Mit einem lebhaften Gefühl der Erleichterung entdeckte ich endlich das Geschwür. Es war von der Größe einer Orange und saß unter dem Rippenrand. Wir befühlten es einer nach dem anderen, während Sir Lancelot aus der Nähe zusah und jeden korrigierte, der die Sache falsch anging. Sodann zog er einen roten Fettstift aus der Brusttasche seines Mantels und reichte ihn mir.

«An welcher Stelle werden wir den Einschnitt ansetzen?» fragte er. Nun war der Patient vergessen; nur noch das Geschwür interessierte uns. Sir Lancelot hatte die enervierende Gewohnheit, die Besitzer von Geschwüren so zu behandeln, als lägen sie bereits bewußtlos unter der Narkose.

Ich zog eine Linie von bescheidener Länge über die erkrankte Stelle.

«Schlüssellochchirurgie!» schnaubte Sir Lancelot verächtlich. «Durchaus zu verurteilen! Geben Sie mir den Stift!» Er schnappte ihn mir weg. «So, meine Herren, wird unser Einschnitt verlaufen!»

Er machte einen breiten und resoluten Strich von den Rippen des Patienten bis unterhalb des Nabels.

«*Derart* werden wir den Patienten aufmachen. Dann können wir einen ordentlichen Blick in sein Inneres tun. Es hat keinen Sinn, in einem Abdomen herumzustöbern, wenn man nicht bequem die Hand hineinstecken kann. Was machen wir dann? Richtig — uns das Geschwür näher ansehen, das wir bisher nur gefühlt haben. Glauben Sie, daß es leicht zu entfernen sein wird?» fragte er mich, indem er mich wieder am Arm packte.

«Nein, Sir.»

«Stimmt — es wird äußerst schwierig sein. Und gefährlich. Wir können mindestens auf ein Dutzend Arten einen kleinen Irrtum begehen — auch wenn wir erfahrene Chirurgen sind — und den Patienten umbringen wie eine Fliege!» Er schnalzte in erschreckender Weise mit den Fingern.

«Nun!» Er beklopfte den Bauch mit seinem Stift, als ob er um Einlaß bäte. «Wenn wir also die Haut durchschnitten haben — welche Struktur finden wir da zunächst vor? Los, Burschen! Ihr habt eure Anatomie kürzere Zeit hinter euch als ich... was kommt dann? Ja, subkutanes Fett. Dann, meine Herren, treffen wir auf den schlimmsten Feind des Chirurgen.» Er sah uns alle der Reihe nach an. «Was ist es?» begehrte er von uns zu wissen. Es erfolgte keine Antwort. «Blut!» donnerte er.

An diesem Punkt angelangt, rief der Patient seine Person den Ärzten ins Bewußtsein zurück, indem er sich erbrach.

Die Chirurgie war Sir Lancelots Leben, und St. Swithin war sein Heim. Er hatte mehr von seiner Zeit ohne Entgelt dem Spital gewidmet, als er je daran wandte, sein Vermögen zu erwerben. Er war Präsident oder Vizepräsident von nahezu jedem Studentenklub und feuerte im Winter das Rugbyteam von der Marklinie aus mit demselben Gebrüll an wie seine ungeübten Dresser im Operationssaal.

Während des Krieges verbrachte er jede Nacht unter dem Bombenregen im Spital und operierte die Verunglückten in einem improvisierten Saal des Kellers, solange Fälle eingeliefert wurden. Eine Gruppe von Studenten wohnte ebenfalls dort; er pflegte mit ihnen Karten zu spielen oder einen Schoppen Bier zu trinken, was anfangs ebensoviel Bestürzung verursachte, wie wenn er in Unterhosen zu einer Operation erschienen wäre. Eines Nachts wurde St. Swithin getroffen, während er gerade einen chirurgischen Eingriff vornahm. Der Saal wankte, das Licht ging aus und ein Teil der Decke stürzte ein. Aber Sir Lancelot fluchte bloß und fuhr in seiner Arbeit fort — Bomben stellten seiner Meinung nach beim Operieren nur ein ebensolches Ärgernis da wie täppische Assistenten und stumpfe Messer, und er behandelte sie alle in gleicher Weise.

Nur dann machte Sir Lancelot einen niedergeschlagenen Eindruck, wenn er davon sprach, sich zurückzuziehen. Dies Gespenst hing während der ganzen Zeit, da ich seiner Firma angehörte, über ihm. Die Aussicht, seine zwei Tage wöchentlich in St. Swithin zu verlieren, deprimierte ihn, wenn er sich auch beim Gedanken aufheiterte, daß ihn das Spital sofort zum emeritierten chirurgischen Beirat ernennen und ihn vielleicht auch zu äußerst schwierigen Fällen heranziehen würde. Seine Verbindung mit St. Swithin würde daher nicht vollkommen abgeschnitten sein; er konnte weiterhin mit den Studenten in ihren Klubs zusammentreffen, und seine chirurgische Tätigkeit konnte er privat fortführen.

Eines Tages, kurz nach meinem Ausscheiden aus seiner Firma, verschwand er. Er verabschiedete sich von niemandem. Er übergab seine Arbeit seinem Assistenten und teilte dem Vorsitzenden der Spitalsleitung einfach brieflich mit, daß er nicht mehr kommen würde. Der Radiologe der Anstalt lieferte später dazu die Erklärung an Hand eines Röntgenbildes. Sir Lancelot litt an Magenkrebs und hatte sich auf sein Gut in Sussex zurückgezogen, um zu sterben. Er lehnte es ab, sich einer Operation zu unterziehen.

8

DAS SCHWESTERNHEIM ZU ST. SWITHIN WAR UNTER DER ZIEMLICH ZU-treffenden Bezeichnung «Die Zuflucht der Jungfrauen» bekannt. Jungfräulichkeit und Pflegetätigkeit scheinen gewissermaßen Hand in Hand zu gehen, und die Oberin St. Swithins hielt sehr auf die Einhaltung der Ursulinischen Ordensregeln. Ihre Vorschriften betreffs des Verhaltens der Pflegerinnen ließen ihre Überzeugung durchblicken, daß diese beim Wachen und beim Schlafen im Spital unausgesetzt der Gefahr der Notzüchtigung ausgeliefert waren. Es ist wohl wahr, daß ein oder zwei Studenten sich gelegentlich mit sündhaften Gedanken ihren Schutzbefohlenen gegenüber befaßten; wie jede andere Schar junger Männer waren sie romantische Gemüter, und der Umstand, daß ihnen junge Damen in den Krankensälen beim Entkleiden halfen, hinderte sie nicht, an ihnen ein Gleiches in ihren Behausungen zu versuchen. Aber wenn man die Pflegerinnen im allgemeinen ins Auge faßte, mußte einem das Vorschriftenbuch ihrer Oberin als ein starkes Stück Schmeichelei erscheinen.

Der Verkehr zwischen Pflegerinnen und Studenten brauchte nur rein gesellschaftlicher Natur zu sein, um schon das Mißfallen der Oberin auf sich zu ziehen. Wenn eine Pflegerin im Spital in einem Gespräch mit einem Studenten angetroffen wurde — von einem notwendigen kurzen Wortaustausch in medizinischen Belangen im Krankensaal abgesehen —, wurde sie ohne Untersuchung entlassen. Wenn sie sich in ihrer dienstfreien Zeit mit einem Studenten traf — um zum Beispiel ein Kino oder ein Konzert zu besuchen — und dabei ertappt wurde, wurde ihr dies automatisch als das Äquivalent eines Weekends in Brighton angekreidet. Wurde jedoch eine Pflegerin im Quartier der Studenten oder irgendein männliches Wesen im Schwesternheim entdeckt, bedeutete dies ein Ereignis, das man offenbar mit Ausdrücken menschlichen Entsetzens überhaupt nicht mehr wiederzugeben vermochte.

Um die Möglichkeit zu reduzieren, daß die Pflegerinnen sich derart beunruhigenden Situationen gegenüber befänden, reduzierte man aufs strengste die Gelegenheiten hierzu. Sämtliche Pflegerinnen des ersten Jahrgangs mußten jede Nacht ab zehn Uhr im Heim sein. Die älteren Mädchen durften einmal in der Woche bis elf ausbleiben, und den Abteilungsschwestern wurde quasi ein Leben schrankenloser Unzucht gestattet, da sie zwei wöchentliche Ausgänge bis Mitternacht beanspruchen konnten.

Im Spital wurden die Pflegerinnen autoritativ ihrer geschlechtlichen Merkmale entledigt, soweit dies ohne operative Eingriffe möglich war. Ein Make-up jeglicher Art sahen die Oberschwestern als das Kennzeichen von Straßenmädchen an, und das Haar mußte fest unter die gestärkte Haube zurückgesteckt werden, die unmittelbar über den Brauen aufzusetzen war. Die Figur der Pflegerinnen wurde unter der Tracht, die aus einem sackleinenähnlichen Material angefertigt war, ihrer Konturen beraubt, und der Rocksaum war gerade nur so weit vom Fußboden entfernt, daß das arme Mädel gehen konnte, ohne sich das Genick zu brechen.

Diese Vorschriften wurden natürlich übertreten, so wirksam und so schlau, wie man im Mittelalter das Schloß eines Keuschheitsgürtels zu erbrechen verstand. Es gab eine Menge ruhiger Winkel im Spital, in denen Verabredungen zwischen Studenten und Pflegerinnen ausgemacht werden konnten, und ganz London stand einem Pärchen für seine Rendezvous zur Verfügung. Ein zarter, geschickter Strich mit dem Lippenstift konnte selbst bei Schwester Virtus nichts Schlimmeres zur Folge haben als einen Verdacht, und Puder war fast nicht zu bemerken. Da die Haube aus einem viereckigen Stück Leinen gefaltet werden mußte, konnte das Mädel deren Umfang mit einiger Praxis derart reduzieren, daß sie in einer reizvollen Art auf dem Hinterkopf saß. Und was das Schwesternkleid betraf, so übergab jede Pflegerin mit dem leisesten weiblichen Empfinden ihre neue Ausstattung sofort einer Schneiderin, um sie kürzen zu lassen.

Schüchternheit und die Schranken, die sich vor jedem Kontaktversuch mit den Pflegerinnen erhoben, hielten mich von meinen Helferinnen im Krankensaal in sicherem Abstand, ein bißchen fachsimpelndes Geplauder ausgenommen, das ich mit ihnen zu führen riskierte. Außerdem nahmen aber die Pflegerinnen auch sehr wenig Notiz von mir. Bei den älteren Studenten verhielt es sich anders: ihnen wurde hinter dem Rücken der Schwester ein schnelles Lächeln oder ein Kichern im Waschraum zuteil, wenn sich niemand in Hörweite befand. Die Anstaltsärzte, die den Doktortitel trugen und daher als sichere Eheanwärter galten, erhielten eine Tasse Kaffee, wenn die Schwester dienstfrei war, und bekamen ihre Socken gestopft; und der Erste Assistent vermochte mit einem kurzen Lächeln jedes Herz hinter einem gestärkten Schürzenoberteil in heftige Wallungen zu versetzen.

Während meiner Arbeit in Sir Lancelots Firma begann ich meiner Umgebung zum Trotz ein wenig Selbstvertrauen zu gewinnen. Es gab da im Krankensaal eine Pflegerin, die mir anders als die übrigen erschien. Sie war eine zierliche kleine Schwesternschülerin, auf der das Personal ebenso herumtrampelte wie auf mir, was sofort zur Folge hatte, daß sich ein zartes Band der Sympathie zwischen uns spann. Sie tat mir leid, und ich hatte den Eindruck, daß sie mir hinwiederum ein stilles Mitgefühl entgegenbrachte, wenn ich von der Oberschwester zu einem Nichts reduziert wurde, weil ich beim Waschbecken Sir Lancelots spezielle Seife benützt hatte.

Sie war brünett und hatte ein Stumpfnäschen, graue Augen und einen kleinen Mund, den sie im Krankensaal fest zusammenpreßte. Sie war im Dienst noch unerfahrener als ich, denn sie war erst vor vierzehn Tagen ins Spital eingetreten. Es galt als ein Axiom, daß jede Pflegerin, die die ersten sechs Wochen durchhielt, den ganzen Lehrgang bleiben würde, und so beobachtete ich interessiert, wie ihre Lippen sich im Verlauf dieser kritischen Periode immer fester und fester zusammenschlossen, wenn sie die Entdeckung machte, daß es weitaus weniger wichtig war, das Leben eines Patienten zu retten, als keinen Teller mit Pudding fallen zu lassen, und daß das Zerbrechen eines Thermometers ein Verbrechen darstellte, das von gewohnheitsmäßigem Ladendiebstahl nicht weit entfernt war.

Indem ich ihr Blicke zuwarf, sie schüchtern anlächelte und mich im Krankensaal so knapp neben sie stellte, als ich es gerade noch wagte, trachtete ich ihr mein Interesse anzudeuten. Als ich eines Morgens im Spülraum unlustig die alltäglichen chemischen Proben an den Exkrementen meiner Patienten vornahm, trat sie ein und begann, in ihr Schicksal ergeben, den Ausguß zu reinigen. Die Oberschwester hatte sie, offenbar in Unkenntnis meiner Anwesenheit, hergeschickt; die Türe schloß uns vom Saal ab; wir waren allein; so nützte ich die Chance.

«Hören Sie mal», sagte ich.

Sie sah vom Ausguß auf.

«Hören Sie mal», wiederholte ich. «Nummer 6 sieht aber heute besser aus, finden Sie nicht? Der Chef hat da ganz große Arbeit an ihm geleistet. Sie hätten sehen sollen, wie er die Milzschlagader packte, als die Klammer herunterrutschte! Ich hab' noch nie in meinem Leben so viel Blut gesehen!»

«Hören Sie auf, bitte!» rief sie und hielt sich den Magen. «Mir wird übel beim Zuhören!»

«Oh, tut mir schrecklich leid», entschuldigte ich mich hastig. «Ich glaubte nur, daß Sie sich dafür interessieren.»

«Nein», sagte sie. «Beim Anblick von Blut wird mir übel. Faktisch, dieser verwünschte Ort macht mir übel. Ich stellte mir vor, ich würde meine kühlen Hände auf die fiebernden Stirnen dankerfüllter Jünglinge legen, und jetzt besteht meine ganze Arbeit darin, daß ich die Böden scheuern und die Leibschüsseln schlechtgelaunten alten Mummelgreisen reichen muß, die noch dazu stinken.»

«Wenn Ihnen das nicht paßt», meinte ich, über ihr Geständnis schockiert, «warum haben Sie sich dann diese Arbeit ausgesucht? Warum geben Sie sie nicht auf?»

«Weil ich nicht will, zum Teufel! Mutter war Pflegerin, und seit neunzehn Jahren hat sie nichts anderes getan, als mir das vorzuhalten. Wenn sie eine sein konnte, dann kann ich's auch, verdammt nochmal!»

«Möchten Sie nicht mit mir ins Kino gehen?» fragte ich sie. Es erschien mir als das beste, ihre Klagen abzuschneiden und auf mein Ziel ohne weiteres Geplänkel loszugehen. Jeden Augenblick konnte unsere Abgeschlossenheit ein Ende finden.

«Und ob!» erwiderte sie, ohne zu zögern. «Alles täte ich, um hier herauszukommen! Um sechs bin ich frei. Treffen wir uns in der Untergrundstation. Ich muß in den Saal zurück, sonst zerreißt mich die Alte in Stücke.»

Einigermaßen mit mir selbst zufrieden, ging ich in den «König Georg» hinüber, um irgend jemandem meine schnelle Eroberung zu berichten. Ich fand Tony Benskin und Grimsdyke an der Bar sitzend, mit dem Padre in einem angeregten Gespräch über Pferderennen begriffen.

«Gradé hab' ich mir ein Rendezvous mit der Kleinen vom Saal

ausgemacht», erzählte ich ihnen mit betonter Nonchalance. «Heut abend führ' ich sie aus.»

Benskin war entsetzt. Er war von der Vorstellung besessen, daß er eines Tages von einer Pflegerin in die Ehefalle gelockt werden würde, und bewegte sich im Spital mit der Vorsicht eines im Gewinnen begriffenen Spielers, der die anderen mit einem Trick hineinlegen will.

«Paß auf, das dicke Ende kommt noch nach, mein Junge!» rief er. «Sei auf der Hut, oder du stehst eines schönen Tages vor dem Altar, bevor du noch weißt, woran du bist. Die ganzen Weiber sind eine gefährliche Bande!»

«Ich wünsch' ihnen viel Glück!» fügte Grimsdyke mit Nachdruck hinzu. «Schließlich kommen sie doch zu nichts anderem ins Spital, als sich einen Mann zu ergattern. Sie würden es nie im Leben zugeben, aber diese Absicht ist irgendwo im Unterbewußtsein von ihnen allen vergraben.»

«Ich dachte, die Krankenpflege wäre eine Berufung und eine Mission», verteidigte ich sie.

«Ebensowenig wie unsere eigene Arbeit, mein lieber Alter. Warum sind wir alle Mediziner geworden? Ich hab' einen guten Grund — ich werde dafür bezahlt. Du hast einen Doktor zum Vater, und ein Hang zur Medizin ist in deinem Fall nichts anderes als eine erbliche Belastung. Unser Tony hat sie gewählt, weil ihm keine bessere Beschäftigung einfiel, die es ihm ermöglicht, dreimal wöchentlich Rugby zu spielen. Wie viele unserer Kollegen nahmen diesen edlen Beruf aus humanitären Gründen auf sich?» Grimsdyke drückte sein Monokel fest ins Auge. «Verdammt wenige, möchte ich wetten. Weitaus mehr junge Burschen treten aus humanitären Gefühlen jährlich der Londoner Feuerwehr bei. Ebenso ist es bei den Mädeln — die Krankenpflege bietet ihnen eine der wenigen noch vorhandenen Ausreden, von zu Hause fortzugehen. Laßt sie nur die Burschen heiraten, sage ich. Es sind starke, gesunde Mädel, die kochen können. Meiner Meinung nach besteht die wichtigste Funktion der Schwesternschule von St. Swithin darin, daß sie Frauen heranzieht, die geeignet sind, in jeder allgemeinen Praxis auf der Welt mitzuhelfen.»

«Drei Bier, bitte, Padre», unterbrach ich ihn. «Sind Sie nicht der Ansicht, daß Grimsdyke ungerecht ist?»

«Sie müssen auf der Hut sein, Sir, das können Sie mir glauben», sagte der Padre düster. «Ich hab' mehr von euch jungen Herren ohne einen Heller Geld in die Ehe hineinschlittern sehn, als mir lieb ist. Natürlich kommen dann bald die Kinderchen, und ein Haus, und Gasrechnungen, Staubsauger und all die andern kleinen Zutaten des Ehelebens. Es ist ein teurer Spaß, auf Ehrenwort, Sir, für Burschen, die noch keine Praxis haben.»

«Verflucht nochmal», sagte ich, «ich hab' das Mädel doch bloß ins Kino eingeladen! Wenn sie mir nicht gefällt, werd' ich sie einfach nicht wiedersehn.»

«Leichter gesagt als getan, Sir. Fragen Sie Mr. Grimsdyke, was ihm letzte Weihnachten mit einer gewissen jungen Dame passiert ist.»

Grimsdyke lachte. «Ach ja, Padre! Ich glaub', ich hab's noch immer bei mir.» Er zog seine Brieftasche hervor und kramte in den darin befindlichen Papieren herum. «Ein äußerst ermüdendes Weib — vierzehn Tage hindurch versuchte ich wirklich alles mögliche, um sie loszuwerden. Dann bekam ich eines Morgens dies durch einen Spitalsdiener zugestellt, bitte sehr.»

Er reichte mir einen Zettel, der mit aufgeregten weiblichen Schriftzügen bedeckt war. «Wenn Du mir nicht bis Mittag antwortest», besagte er kurz und bündig, «dann stürze ich mich vom Dach des Schwesternheims hinunter.»

«Was, um Himmels willen, hast du erwidert?» fragte ich entsetzt.

«Was konnte ich schon erwidern?» meinte Grimsdyke. «Außer ‹Keine Antwort›?»

«Hat sie sich hinuntergestürzt?»

«Ich weiß es wirklich nicht», sagte er, indem er den Brief wieder einordnete. «Ich hab' mir nie die Mühe genommen, es herauszufinden.»

Ich traf meine kleine Pflegerin um sechs Uhr. Wir verbrachten einen harmlosen Abend miteinander und verabredeten uns für die nächste Woche. Aber das Rendezvous kam nie zustande. Am folgenden Tag wurde sie in Schwester Virtus' Krankensaal versetzt, von wo sie herausflog. Eines Nachmittags schleuderte sie der Schwester eine rosa Mandelmilchcreme ins Gesicht, ging fort und nahm eine Stelle als Autobusschaffnerin an.

Dieser Zwischenfall kühlte vorübergehend meinen Enthusiasmus für Pflegerinnen ab. Ein paar Wochen später versuchte ich eine Sympathie für ein dickes blondes Mädel im Ambulatorium in mir zu entfachen, aber nachdem wir einige Abende miteinander verbracht hatten, begann sie, anfangs nahezu unmerklich, sich von mir zurückzuziehen — ein Riesenschiff, das langsam den Hafen verläßt. Da hob ich an, mir über meine Person Sorgen zu machen. Wie kam es, daß ich keine Anziehungskraft auf Frauen ausübte? Ich hatte bei meinen Partnerinnen nie Erfolg, während meine Freunde offenbar nicht auf die geringsten Schwierigkeiten stießen, wenn sie sich mit den ihren auf den Weg der Sünde begeben wollten. Ich schlich in die Bibliothek und blätterte in psychologischen Werken nach: Entsetzen erfaßte mich beim Durchsehen der Seiten. In den ersten Wochen meines Dienstes in den Krankensälen war ich überzeugt gewesen, daß ich an Tuberkulose, Herzneurose, Kehlkopfkrebs und perniziöser Anämie erkrankt war, Leiden, die sich nach ein paar Tagen mit bestem Erfolg verflüchtigten, nun aber sah ich mich der grauenhaften Möglichkeit gegenüber, daß mein Inneres Dinge wie einen Mutter-Komplex, Oral-Erotik und subnormale Libido barg. Nach dem Abendessen eröffnete ich diese Befürchtungen meinen Freunden.

«Dir fehlt nur das eine, mein Lieber», sagte John Bottle, ohne übrigens seine Augen vom Mikroskop zu erheben, mit dem er gerade beschäftigt war, «daß du an jener wohlbekannten klinischen Verfassung leidest, die unter dem Namen *orchitis amorosa acuta* oder ‹Liebeskoller› bekannt ist.»

«Nun», erklärte ich niedergeschlagen, «ich wäre willens, meine Jungfräulichkeit zu opfern, wenn ich eine Person fände, die zur Mitarbeit an dieser Angelegenheit bereit wäre.»

«Kannst du nicht eine Woche warten?» fragte Kelly mürrisch. «Mein Path-Examen steht zu knapp vor mir, als daß ich eine Nacht weggehn könnte.»

Dieser Einwand gegen einen sofortigen Beginn meines Liebeslebens ließ deutlich den Umstand erkennen, der die Harmonie in unserer Bude am ernstesten bedrohte.

Wir waren uns alle über die Wichtigkeit des Punktes einig, unsere Freundinnen zu uns bitten zu können, und dies unter der Voraussetzung des Ungestörtseins — sonst wäre die Einladung sinnlos gewesen. In einem gütlichen Vergleich kamen wir überein, daß es ebenso wichtig sei, die drei anderen von der Verpflichtung zu befreien, den ganzen Abend verdrießlich das Straßenpflaster zu treten oder im Bett zu liegen. Archie und Vera waren kein Problem gewesen, weil sie sich in ihrem eigenen Zimmer aufhielten, aber zwischen den übrigen mußte ein Arrangement getroffen werden. Wir bestimmten, daß jeder von uns alle vierzehn Tage einen Abend lang das Wohnzimmer für sich allein haben sollte. Es wurde folgender Code ausgemacht: wenn das Mädel hereingeführt und

mit den anderen bekannt gemacht worden war, brauchte der Gast-
geber bloß zu erwähnen, daß es nach Regen aussähe; schon standen die Freunde auf und trabten in die Nacht hinaus wie eine gut-
gedrillte Kompanie Soldaten. (Wenn er hingegen die Bemerkung
machte, daß das Wetter wärmer würde, leisteten sie ihm einen ebenso wichtigen Dienst dadurch, daß sie sitzen blieben.) Alles Weitere
lag an ihm selbst. Er durfte jedoch nicht den ganzen Abend mit
Liebesgetändel verzetteln. Da die Wirtshäuser um elf Uhr schlossen, konnte er nur bis zu diesem Zeitpunkt damit rechnen, in Ruhe
gelassen zu werden. Seine Kameraden würden, in der Ansicht, daß
sie ihm genug Zeit zu einer flotten Verführung gelassen hätten,
herzlos heimkehren. Wenn es ihm nicht gelang, sein Ziel in dieser
Zeitspanne zu erreichen, hatte er eben das Nachsehen. All das übte
wahrscheinlich einen schlechten Einfluß auf unser Gemütsleben
aus, verlieh uns jedoch eine große Durchschlagskraft.

«Was ist eigentlich mit dem Mädel aus dem Ambulatorium,
das du ausgeführt hast?» fragte Tony Benskin.

Ich zuckte die Achseln. «Ungeeignet.»

«Hat nicht angebissen, was?» fragte John Bottle · interessiert.
«Das hab' ich mir gedacht ... Laß dir von mir raten und gib den
Schwesternschülerinnen den Laufpaß. Viel zu jung und verständ-
nislos. Die erinnern sich noch immer daran, daß ihnen die Sport-
lehrerin einmal sagte, es würde ihr Hockey ruinieren.»

Mike Kelly saß beim Feuer in einem Lehnstuhl, verdrossen in
ein gelb gebundenes Buch über fieberhafte Erkrankungen vertieft.
Er bezeichnete mit einem Finger sorgsam die Stelle, bis zu welcher
er gelesen hatte, bevor er sprach.

«Du könntest es mit der Operationsschwester von Nummer 6
probieren», schlug er ohne große Überzeugungskraft vor.

«Oh, bei der ist es zwecklos», sagte John autoritativ. «In dieser
Abteilung werden nur Assistenten in Betracht gezogen. Sie gehört
zu jener Sorte von Mädeln, die einen Anstaltsarzt kaum ansehen,
geschweige denn einen armen Hund von einem Studenten.»

«Dann wäre da noch die kleine blonde Abteilungsschwester im
Loftus-Saal», fuhr Mike hilfsbereit fort. «Die sieht so aus, als
lohnte es sich, ihr Avancen zu machen.»

«Aussichtslos!» sagte John. «Die leidet heftig an Tinnitus – an
Ohrensausen; das sind die Hochzeitsglocken, die sie fortwährend
läuten hört.»

«Wie wär's mit Rigor Mortis?» schlug Tony vor, wobei er plötzlich sehr mit sich selbst zufrieden aussah.

«Die gute alte Rigor ... die ist schon eher was!» stimmte ihm John bei. «Die ist jederzeit und für jedermann zu einem Sündenfall bereit.»

«Die geeignete schiefe Ebene für unseren Freund», bemerkte Mike voll Wärme.

«Rigor Mortis?» fragte ich zweifelnd.

«Oh, das ist natürlich nicht ihr richtiger Name», erklärte Tony. «Sie heißt Ada oder so ähnlich. Bist du ihr noch nicht übern Weg gelaufen?»

«Nicht daß ich wüßte.»

«Sie ist keine überwältigende Schönheit», fuhr er fort, «deshalb ist sie dir vielleicht noch nicht aufgefallen. Aber sie hat das beste Herz, das man sich vorstellen kann. Sie ist Abteilungschwester im Männersaal vom Loftus. Ich kenne sie gut, Alter. Ich werde dich ihr vorstellen. Je mehr ich darüber nachdenke, desto sicherer bin ich, daß sie das ist, was du brauchst. Sie erwartet ein Minimum an Unterhaltung, und man braucht kaum mehr zu tun, als sie bei der Hand zu halten und kläglich dreinzusehen. Blendend! Morgen lernst du sie kennen.»

Tony brachte mich am nächsten Nachmittag zu Rigor Mortis, als die Oberschwester dienstfrei war. Ich mußte ihm sofort recht geben: mit den Augen kam man bei ihr nicht ganz auf die Kosten. Sie hatte stumpfes schwarzes Haar, das sie in die Haube hineinstopfte wie ein Kissen in seinen Überzug, das Kinn eines Boxers und Brauen, die in der Mitte zusammengewachsen waren. Sie war ungefähr einen Meter achtzig groß und ihr Busen war so formlos wie eine Portion Rühreier. Aber alle diese Makel schmolzen vor meinen Augen dahin,. die von Benskins Versicherung, daß sie ein gutes Herz besäße, entflammt waren.

Nach einer Minute munterer Konversation erklärte Tony, daß ich seit einigen Monaten danach brannte, ihre Bekanntschaft zu machen. Er fragte sie, ob sie für ihre nächsten dienstfreien Nächte etwas vorhabe; ich brauchte nur noch eine Einladung zu einem Kinobesuch herauszustottern, die sie sofort annahm. Ich verabredete mich mit ihr für sechs Uhr vor «Swan and Edgar», und dann trennten wir uns.

«Na also, Alter», sagte Tony, als wir den Saal verließen. «Triff sie um sechs, führ sie ins Kino, bring sie zu einem Drink in die Bude — das wird so um halb zehn der Fall sein. Du hast gute zwei Stunden Zeit, das zu tun, worauf's dir ankommt.»

Die Vorbereitungen zur Verführung traf ich mit bemerkenswerter Sorgfalt. Ich blieb der Nachmittagsvorlesung fern und verwandte die Zeit darauf, das Wohnzimmer in Ordnung zu bringen, die Bücher wegzuräumen, die Decke auf dem Diwan zu glätten und die Leselampe so zu stellen, daß ihr Schein romantisch in die Ecke fiel. Ich legte eine frische Packung Zigaretten bereit und investierte eine halbe Flasche Gin. Es gab in der Küche zwei Gläser, die zufälligerweise dasselbe Muster aufwiesen; diese wusch und trocknete ich sorgfältig und stellte sie auf das Kaminsims. Es war erst fünf, daher setzte ich mich noch nieder und las die Abendzeitung. Ich war so nervös und unruhig, als ginge ich zum Zahnarzt. Ich begann mich zu verwünschen, daß ich diese Idee gehabt hatte. Aber zurückziehen konnte ich mich nicht mehr. Ich mußte bis elf Uhr Erfolg haben oder in der Achtung meiner Freunde sinken. Ich nippte am Gin und machte mich auf den Weg.

Ein paar Minuten lang hoffte ich, sie würde nicht erscheinen, aber schließlich watschelte sie noch pünktlich genug aus der Untergrundstation heraus. Sie sah in Zivilkleidung etwas besser aus, erschien mir aber trotzdem noch immer so reizlos wie ein altes Kanapee. Ich schlug das New-Gallery-Kino vor, womit sie einverstanden war. Sie schien mir ganz freundlich zu sein, doch mußte ich bald entdecken, daß sie absolut abgeneigt war, in der Konversation den Ton anzugeben. Wenn ich sprach, antwortete sie; wenn ich schwieg, schien sie sich schwerfällig mit ihren eigenen Gedanken zu befassen. Ich mußte daher andauernd ein leeres Wortgeplätscher von mir geben, bei dem sich jeder Satz über ein anderes Thema verbreitete, bis der Film uns beiden endlich gnädig ein erlösendes Schweigen bescherte.

Ungefähr in der Mitte der Vorführung kam mir plötzlich der Zweck meiner Expedition wieder zum Bewußtsein. Ich fragte mich, ob ich ihr eine ganz schwache Andeutung dessen, was ihr bevorstand, machen und ihre Hand erfassen sollte? Das wäre so etwas wie der Aufruf des Herolds zum nahenden Gefecht. Würde sie dieses vorzeitige Draufgängertum zurückweisen — kannte ich sie doch erst seit einer Stunde? Ich warf im Dunkel einen schüchternen Blick nach ihr und ergriff ihre rauhe Handfläche. Sie packte gedankenlos die meine, ohne eine Andeutung zu machen, daß sich ihr Geist um Haaresbreite von den Dingen, die sich auf der Leinwand abspielten, abgewandt hätte.

Dann standen wir beide draußen auf der Regent Street. Ich fragte sie so nebenbei, ob sie zu mir und den Jungens auf einen Drink kommen wolle. Sie stimmte mit demselben Gesichtsausdruck zu, mit dem sie im Kino meine Hand geduldet hatte. Wir gingen zur Oxford-Circus-Untergrundstation, wo ich zwei Fahrscheine löste. Eingehängt schritten wir die Straße zur Bude hinunter und die Treppe hinauf. Steigen ... Tür öffnen ... überrascht sein, daß niemand da war. Sie ließ sich wortlos auf dem Diwan nieder, und ich zündete das Gas an. Sie nahm einen Drink entgegen, ohne zu zögern. Wir saßen da, und der Schein des Gasofens und das schwache Licht meiner Lampe fielen romantisch auf uns.

Ich rauchte eine Zigarette aus und reichte ihr einen zweiten Drink. Das würde doch, dachte ich, sicher irgendeine Wirkung haben? Sie trank zwei oder drei weitere, starrte jedoch geistesabwesend ins Feuer, gab auf jeden Satz, den ich sprach, stumpfsinnig einen zurück, todlangweilig, stur und nicht aus der Ruhe zu bringen.

Ich blickte nervös auf meine Uhr und sah mit Entsetzen, daß es halb elf vorüber war. Ich mußte die Sache angehen. Mir war zumute wie einem, der an einem kalten Morgen einen alten Wagen in Gang setzen muß.

Ich packte ihre Hand fester. Sie hatte nichts dagegen. Ich kam näher. Sie rückte weder weg noch zu mir. Ich legte meinen Arm um sie und begann ihr mir abgewandtes Ohr zu streicheln. Sie blieb passiv — eine Kuh, deren Geist mit anderen Dingen beschäftigt ist.

Die Sekunden flogen, schneller und immer schneller auf meinem Handgelenk tickend, dahin ... Schließlich, dachte ich, bin ich bis hierher gelangt, ohne zurückgewiesen zu werden. Ich küßte sie auf die Backe. Sie saß weiter freundlich da und sagte nichts. Ich stellte behutsam mein Glas ab und strich fest über ihre Bluse. Ich hätte geradesogut ihren Mantel ausbürsten können. Ich warf mich auf sie, und sie rollte wie ein Kegel auf dem Diwan nach rückwärts. Ich setzte ihre erotische Stimulierung mit größter Energie fort. Nunmehr konnte jeden Augenblick, dachte ich erregt, das Ziel dieses Abends erreicht werden. Sie lag vollkommen indifferent da. Plötzlich machte sie eine Bewegung. Sie ergriff mit einer Hand die Abendzeitung, die ich auf dem Diwan liegengelassen hatte. Sie las die Schlagzeilen.

«Na sowas!» rief sie voll Anteilnahme, «da hat es aber einen scheußlichen Zugzusammenstoß bei Chelmsford gegeben! Siebzehn Tote!»

«Du hast also kein Glück gehabt?» fragte Tony um Mitternacht.

«Nein. Nicht das geringste.»

«Das ist schlimm. Aber nur Mut... andre Fische, gute Fische, weißt du.»

Ich beschloß, von nun an in etwas turbulenteren Gewässern fischen zu gehen, selbst wenn mir kein Fang beschieden sein sollte.

9

UM DIE STUDENTEN IN DER GEBURTSHILFE UNTERWEISEN ZU KÖNNEN, überwachte St. Swithin die Fortpflanzungstätigkeit von ein paar tausend Menschen, die auf dem übervölkerten Gebiet rund um das Spital wohnten. Diese hinwiederum leisteten insofern wertvolle Mitarbeit, indem sie sich weigerten, die Forderungen der Natur zugunsten der etwas weniger dringlichen Bitten der Familienplanungs-Organisation zu vernachlässigen.

Der praktische Kurs in Geburtshilfe ist für den Studenten wertvoller als der theoretische Unterricht im Entbinden. Er führt den Mediziner aus dem Spital, wo alles sauber und zweckdienlich und auf sterilen Rollwagen bei der Hand ist, in jenes Milieu, in dem er dereinst als praktischer Arzt zu wirken bestimmt ist — in Wohnstätten mit dreckigen Fußböden und Wanzen, wo es kein heißes Wasser gibt und Beleuchtung nur an den unzweckmäßigsten Orten; stellenweise auch keine Hebammen, jedoch Scharen von neugierigen Kindern und kränklichen Verwandten; in eine Welt voll zerborstener Stufen, unauffindbarer Adressen und Tassen Tee, die post festum in der Küche verabreicht werden.

Es war ein Glück für mich, daß ich kurz nach meinem unfruchtbaren Liebesleben in die Geburtshilfepraxis gestoßen wurde, denn dieses medizinische Gebiet löst gewöhnlich bei den Studenten eine starke Reaktion aus, die sich in Menschenflucht äußert. Tony Benskin, Grimsdyke und ich starteten zusammen im «Bezirk». Während unserer Geburtshilfepraxis mußten wir im Spital wohnen, in Kammern von der Größe einer Isolierzelle, im obersten Stockwerk, wo die Quartiere der Anstaltsärzte lagen. Mein Vorgänger, ein großer, blonder, romantisch aussehender Bursche namens Lamont, war von seinen Erfahrungen so erschüttert, daß er im Begriff stand, seine Verlobung zu lösen.

«Diese entsetzlichen Weibsbilder!» rief er hitzig, während er einen Stoß Lehrbücher in seine Tasche zu pressen versuchte. «Ich verstehe nicht, daß überhaupt noch irgendwer jemals mit ihnen schlafen will. Daß es jemand in der nahen Vergangenheit getan hat, übersteigt mein Fassungsvermögen.»

«Wie viele Babys hast du gehabt?» fragte ich.

«Neunundvierzig. Einschließlich ein paar Kaiserschnitten. Es wäre ein halbes Hundert geworden, hätte ich nicht einen V. E. G. abziehen müssen.»

«V. E. G.?»

«Vor Eintreffen geboren. Eine schreckliche Schande für einen Geburtshelfer, natürlich. Ich rechnete mir aus, daß ich vorher noch Zeit zum Lunchen haben würde, aber als ich hinkam, lag das verwünschte Ding schon im Bett. Mutter und Kind waren jedoch wohlauf, es wurde also kein wirklicher Schaden angerichtet. Versuch nicht das Fenster zu öffnen, es klemmt. Jetzt gehe ich mich besaufen. Viel Glück!»

Den Koffer in der Hand, schritt er dahin, der letzte Büßer um Adams Sünde willen.

Ich setzte mich tief niedergeschlagen aufs Bett. Es war ein ungewöhnlich rauher Novembernachmittag; der Himmel hing, ein riesengroßes schmutziggraues Laken, über den Dachgiebeln. Ofenfeuerung gab es nicht im Zimmer, und die Rohre der Dampfheizung gaben nur peinliche Geräusche, aber keine Hitze von sich. Der einzige Schmuck des Raumes bestand in einem umfangreichen, schwarz-weiß gehaltenen Plan des Bezirks, auf dem einer der früheren Studenten hilfreich die Wirtshäuser mit roter Tinte eingezeichnet hatte. Ich sah aus dem Fenster und bemerkte ein paar Schneeflocken — sie erschienen mir so ominös wie die ersten Flekken bei einem Blatternfall. Ich wünschte, die Weiber sollten hingehen und Knospen treiben wie die Blumen.

Wir drei meldeten uns beim Vorstand des Geburtshilfe-Dienstes, einem überarbeitet aussehenden jungen Mann, den wir in der Klinik für Schwangere fanden. Diese war ein Teil des Geburtshilfe-Dienstes zu St. Swithin. Jeden Donnerstagnachmittag kamen die werdenden Mütter her und saßen auf den Bänken vor der Türe der Klinik, eine Reihe überreifer Mohnköpfe. Der Vorstand ließ geistesabwesend seine Hände über einen Bauch gleiten, der sich wie die St.-Pauls-Kuppel wölbte, um die Lage des Babys festzustellen.

«Ihr seid die neuen Hilfskräfte?» fragte er interesselos.

Wir nickten bescheiden.

«Gut, sorgt dafür, daß ihr stets zu erreichen seid. Wenn ihr zu einem Fall gerufen werdet, wird von der Mütter-Fürsorgestelle des Bezirks gesondert eine Hebamme entsandt; ihr könnt also unbesorgt sein. Vergeßt nicht, ein Zweipennystück einzustecken.»

«Zum Telefonieren natürlich», sagte er, als ich ihn nach dem Grund gefragt hatte. «Wenn ihr in Verlegenheit geratet, so stürzt in die nächste Telefonzelle, um mich zu rufen, und ich komme in einem Polizeiauto nachgefahren. Wartet nicht, bis es zu spät ist!»

Er entließ uns und beugte sich vor, um den embryonalen Herzschlag mit einem Stethoskop abzuhören, das wie eine kleine Blumenvase geformt war.

Unser nächster Weg führte uns zur Außendienst-Schwester, die die gesamten Geburtshilfe-Studenten zu kontrollieren hatte. Ich fand sie überaus interessant. Sie war dermaßen häßlich, daß sie sich wohl nie großen Erwartungen hatte hingeben können, ihre normalen biologischen Funktionen auszuüben; nun war sie traurigerweise vom Wechsel überrascht worden und hatte überhaupt keine Chancen mehr. Da ihr also nicht die Möglichkeit geboten war, Kinder in die Welt zu setzen, hatte sie sich der Geburtshilfe mit demselben Feuer verschrieben, mit dem eine Novize in der Religion aufgeht. Sie wußte mehr davon als der Vorstand der Klinik. Sie konnte nur über Mütter und Babys sprechen und sah in jedermann lediglich ein Element der Fortpflanzung. In ihrem Zimmer war eine goldene Medaille zu sehen, die sie bei ihren Prüfungen gewonnen hatte; sie stellte sie stolz in einem kleinen Rahmen unter Glas zur Schau, der zwischen zwei Farbdrucken von Peter Scotts Entenbildern hing. Sie sprach über den anatomischen Vorgang der Geburt so, wie andere Frauen über die von ihnen bevorzugte Geschäftsstraße sprechen. Sie besaß jedoch die unglückselige Eigenheit, den Zuhörer mit den Teilen des Geburtsweges auszustatten.

«Wenn Ihr Gebärmutterhals vollständig ausgedehnt ist», sagte sie uns ernst, «müssen Sie entscheiden, ob Sie bei Ihrem Baby die Zange anwenden sollen. Sie müssen tasten, ob sich Ihr Kopf oder Ihr Hinterteil zeigt.»

«Und wenn es Ihre Schulter oder Ihr linkes Ohr ist?» fragte Benskin.

«Dann stecken Sie Ihre Hand in Ihren Uterus und drehen Ihr Kind herum», antwortete sie, ohne zu zögern.

Sie gab uns in groben Umrissen eine Anleitung zum Entbinden und erklärte uns den Inhalt der zwei Instrumententaschen, die wir auf unsere Wege mitzunehmen hatten. Das waren längliche Dinger aus Leder, ähnlich der Ausrüstung eines eleganten Cricketspielers, und sie enthielten hinreichend Material, um auch die größte Katastrophe, die über das Haupt eines Studenten hereinbrechen konnte, abzuwenden. Da gab es Flaschen mit Antiseptika, Äther und Chloroform, Nadeln und Catgut in lysolgetränkten Behältern, Geburtszangen, eine besondere zusammenlegbare Vorrichtung aus Segeltuch, die zum Halten der Beine der Gebärenden bestimmt war, Emailschalen, Gummihandschuhe und eine Unzahl nicht sofort erkennbarer Packungen.

«Sie müssen Ihre Taschen nachprüfen, bevor Sie zu Ihrer Mutter gehen», sagte die Schwester.

Wir schrieben unsere Zimmernummern mit Kreide auf die Tafel in der Eingangshalle und gingen auf einen Drink in den «König Georg». Der Schnee fiel dicht; er wirbelte um die Laternenpfähle und klebte sich an die Spitalsmauern, und verlieh dadurch dem alten Gebäude ein noch düstereres Aussehen als sonst.

«Eine schöne Nacht, um auf Storchenjagd zu gehen!» rief Grimsdyke.

«Was geschieht, wenn wir gerufen werden?» fragte ich.

«Wirst du nervös, Alter?»

«Ein bißchen. Ich hab' noch nie in meinem Leben ein Baby gesehen. Am Ende werde ich ohnmächtig, oder was Ähnliches.»

«Kein Grund zur Sorge», tröstete mich Benskin munter. «Ich hab' mit einem der Burschen gesprochen, die wir ablösten. Die Hebamme ist immer zuerst da und sagt einem leise, was man zu tun hat. Diese Hebammen sind eine gutmütige Bande. Sie lassen die Patientin im Glauben, daß man der Doktor ist, und das ist gut für die Moral beider Teile.»

Zum Abendessen kehrten wir in das Spital zurück. Danach fragte Benskin den diensthabenden Portier, ob sich noch nichts gerührt hätte.

«Nicht das geringste, Sir», antwortete er. «Das ist aber ein böses Zeichen. Wenn's einmal eine Zeitlang so ruhig gewesen ist wie jetzt, beginnen sie wie die Karnickel in ihrem Bau zu hecken.»

Wir saßen in Grimsdykes Zimmer und spielten ein paar Stunden lang Poker um die Wette. Es fiel uns schwer, uns auf das Spiel zu konzentrieren. Jedesmal, wenn wir von ferne das Telephon klingeln hörten, sprangen wir gleichzeitig nervös auf. Grimsdyke schlug vor, daß wir um zehn Uhr zu Bett gehen sollten, und prophezeite, daß wir, sobald wir einzuschlummern begonnen hätten, aus dem Schlaf gerissen werden würden. Wir zogen Karten, um zu bestimmen, wer als erster drankommen sollte: ich verlor.

Vier Uhr früh war es, als der Portier mich weckte. Er riß mir fröhlich die Decke vom Leib und drückte mir einen Zettel in die Hand, auf dem eine mit Bleistift gekritzelte Adresse stand.

«Ich täte mich an Ihrer Stelle beeilen, Sir», sagte er. «Die Stimme im Telephon klang richtig besorgt.»

Ich wälzte mich aus dem Bett und kleidete mich mit der Begeisterung eines Sträflings am Morgen seiner Hinrichtung an. Die Nacht draußen war so kompakt und weiß wie ein Reispudding. Nachdem ich einen Blick durch den Vorhang geworfen hatte, zog ich ein grün und gelb gestreiftes Rugby-Leibchen übers Hemd an und darüber noch einen schmutzigen Cricket-Sweater. Die Enden meiner Hose stopfte ich in Fußballstutzen, wickelte einen langen Wollschal um meinen Hals und barg das Ganze unter einem Duflecoat. Ich sah aus, als sollte ich die Mitternachtswache auf einem arktischen Fischkutter antreten.

Diesen gewissenhaften Schutz gegen Wetterunbilden kehrte ich im Hinblick auf das Transportmittel vor, das den Studenten für ihre Dienstwege zur Verfügung stand. Es war offenbar ein Ding der Unmöglichkeit, ein so unverläßliches Völkchen mit einem Wagen auszustatten, und wir selbst waren fast alle zu arm, um dergleichen zu besitzen. Wären andererseits die Studenten gezwungen gewesen, ihre Patientinnen zu Fuß aufzusuchen, so wäre das Rennen zugunsten des Storchs ausgefallen. Daher war vor ungefähr zehn Jahren ein Kompromiß geschlossen worden, demzufolge den jungen Geburtshelfern ein Fahrrad zur Verfügung gestellt wurde.

Dieses Vehikel hatte den Dienst in der Geburtshilfe-Abteilung nicht sehr gut durchgestanden. Es war ursprünglich mit solch unumgänglich notwendigem Beiwerk wie Bremsen, Kotflügeln, Lichtern und Gummibelag auf den Pedalen ausgestattet gewesen, aber gleicherweise wie die Menschen im traurigen Verfall des Alterns ihr Haar, ihre Zähne und ihr festes subkutanes Fett verlieren, war die Maschine im Lauf der Jahre auf ihr nacktes, jeden Komfort entbehrendes Gestell reduziert worden. Der Sattel hatte die Eigenart, unerwartet davonzuschlüpfen und den Fahrer entweder nach hinten oder nach vorne zu schleudern — wohin, war unmöglich vorauszuahnen. Das einzige Mittel, die Maschine zum Stehen zu bringen, war, sich herunterfallen zu lassen. Das Rad stellte die gefährlichste Komplikation in der Geburtshilfepraxis dar.

Ich suchte auf dem Plan nach der Adresse. Es war eine kurze, enge, abgelegene Gasse auf der entgegengesetzten Seite des Bezirks, zwischen einer Brauerei und einem Warenlager. Sie schien mir so entfernt zu sein wie Peru.

Ich stieg schwerfällig in die Ambulatoriumshalle hinunter, um die Instrumententaschen zu holen. Der Raum war kalt und öde; der Portier, der mich gerufen hatte, gähnte in einer Ecke über dem Telephon, und die beiden Nachtschwestern kauerten in ihren Mänteln beim winzigen elektrischen Ofen, indem sie sich nähend durch einen Stoß Gazeverbandzeug hindurcharbeiteten. Sie nahmen nicht die geringste Notiz von der kugelförmigen Gestalt, die da die Treppe herunterkam: ein unbedeutender Geburtshilfelehrling war nicht wert, daß man seinetwegen einen Stich daneben tat. Dem Anstaltsarzt oder, wenn sie Glück hatten, einem Assistenten, die zu dringenden Blinddarmoperationen gerufen wurden, hätten sie eine Tasse Kaffee und ein Wimpernklimpern verehrt. Aber was konnten sie schon mit den jungen Studenten anfangen?

Das Fahrrad war in einem kleinen Schuppen des Spitalshofes untergebracht; zum Nachbar hatte es das lange Fahrgestell, das zur Beförderung jener Patienten, die Pech gehabt hatten, in die Leichenkammer diente. Als wichtigstes Problem erschien es mir, mich und meine Ausrüstung auf der Maschine im Gleichgewicht zu erhalten. Außer den zwei Ledertaschen war noch ein Paar Trommeln in der Größe von Zwiebacktonnen unterzubringen, die die sterilisierte Kleidung enthielten. Da war noch ein Stück starker Bindfaden am Fahrrad befestigt, der, wie ich ahnte, wahrscheinlich ein Bestandteil seiner Konstruktion war, doch ich entfernte ihn und hänge die zwei Trommeln wie ein Joch um meinen Hals. Behutsam die Maschine besteigend, umklammerte ich die Taschen und die Lenkstange mit beiden Händen und pedalte unsicher in die Richtung des Haupttors. Die Schneeflocken umtanzten mich eifrig wie ein Schwarm Moskitos und zielten nach meinem Gesicht, meinem Nacken und meinen Knöcheln.

Die paar Meter Fahrt durch den Hof genügten, um mir klarzumachen, daß der Hinterreifen platt war und daß die Richtung des Vorderrades in keiner konstanten Relation zum Weg stand, auf den die Lenkstange wies. Ich hielt knirschend vor dem verschlossenen Gittertor an und wartete, daß der Portier seine gemütliche Loge verlasse, um mir zu öffnen.

«Wird's gehen?» fragte er mich besorgt.

«Glänzend», sagte ich. «So gefällt's mir. Ich komm' mir wie ein richtiger Doktor vor.»

«Na», meinte er skeptisch, «viel Glück, Sir!»

«Danke.»

Er drehte den Schlüssel im Schloß um und stieß den einen Tor-
flügel auf, wobei der Schnee Widerstand leistete.

«Ihr Schlußlicht funktioniert nicht, Sir!» rief er.

Ich schrie zurück, daß mir das egal sei, und fuhr in die finstere
Nacht hinein; wie Captain Oates kam ich mir vor. Nach den ersten zwanzig Metern löste sich die Kette ab.

Nachdem ich sie wieder montiert hatte, brachte ich es zustande,
die Hauptstraße entlangzuschaukeln, die vom Spital zur Brauerei
führte. Die Häuser erschienen mir so feindselig wie Eisklippen in
einer Polarnacht. Alles sah so anders aus als zur freundlichen Ta-
geszeit, die die nun so kalten, toten Straßen mit lebhaftem Verkehr zu füllen pflegte. Glücklicherweise gab mir eine gründliche
Kenntnis der lokalen Gaststätten ein paar Fingerzeige, und ich
hätte mich als fliegender Engel der Gnade leidlich durchgeschla-
gen, wäre nicht das Vorderrad heruntergefallen.

Ich purzelte in den Schnee im Rinnstein und wünschte, ich hätte
Jus studiert. Als ich wieder auf den Füßen stand, fiel mir ein, daß
das Stück Bindfaden vielleicht bei der Befestigung des Vorderrades eine wichtige Rolle gespielt hatte; doch nun war die Wunde
nicht mehr zu heilen. Ich klaubte mein Gepäck zusammen, ließ
die Maschine zurück, auf daß sie wie ein toter Eskimohund vom
Schnee begraben werde, und schleppte mich weiter. Dabei focht
ich gegen mich selbst einen Kampf aus. Ich sagte mir, daß ich es,
hol's der Teufel, zustandebringen müsse, dieses Baby ans Licht
der Welt zu befördern. Falls es es wagen sollte, sich rücksichtslos
aus eigenen Kräften herauszudrängen, ohne auf mich zu warten,
würde ich es, so beschloß ich, erdrosseln.

Ich bog von der Hauptstraße in die Richtung der Brauerei ab,
aber nach ein paar hundert Metern mußte ich erkennen, daß ich
mich verirrt hatte. Sogar die Wirtshäuser waren mir unvertraut.
Ich setzte meiner Umzingelung keinen Widerstand mehr entgegen und spürte, wie die Nässe in mein Schuhwerk sickerte. Ich
lehnte mich an einen Schutz bietenden Türpfosten und bereitete
mich darauf vor, dem Tod in einer möglichst kavaliersmäßigen
Haltung ins Auge zu sehen.

In diesem Augenblick blieb ein Polizeiauto, das wie ich in die
Schneenacht hinausgejagt worden war, vor mir stehen. Der Fahrer ließ den Scheinwerfer auf mich und meine Last fallen und
hatte keine andere Wahl, als mich für ein verdächtiges Subjekt
zu halten. Er verlangte meinen Identitätsausweis zu sehen.

«Schnell!» rief ich dramatisch. «Ich muß eine Frau entbinden gehen.»

«Kommen Sie vom Swithin?» fragte der Polizist.

«Ja. Es könnte bereits zu spät sein. Ich bin der Arzt.»

«Hüpfen Sie hinten auf!»

Es gibt nichts, das Polizisten mehr Entzücken bereitet, als in einen Geburtsfall hineingezogen zu werden. Bietet sich ihnen doch da die Aussicht, bei dem freudigen Ereignis zu assistieren, was soviel wie ein Bild in den Abendausgaben und eine mit Bierkonsum verbundene Feier in der Wachstube bedeutet. Der Schutzmann, der eines Nachmittags mit einem Kind in St. Swithin erschien, das im unteren Verdeck eines Trolleybus geboren worden war, sah so vergnügt aus, als wäre er der Vater gewesen.

Das warme Polizeiauto brachte mich zum Bestimmungsort, und die Männer entließen mich zögernd. Vor mir erhob sich eine hohe, erstorben aussehende Mietskaserne, für immerdar durchtränkt mit den Gerüchen, die einer Brauerei und einem Lagerhaus entströmen. Ich betätigte den Türklopfer und wartete.

Ein mageres Mädelchen von etwa fünf Jahren öffnete das Tor.

«Ich bin der Doktor», kündigte ich mich an.

Die Ankunft des Geburtshelfers verursachte hierorts, wo man sich so flott zu vermehren pflegte, nicht mehr Aufsehen als der Besuch des Milchmanns.

«Ganz hinauf, Mensch», sagte sie und verschloß sich ins Dunkel wie eine Ratte.

Der süßliche Gestank von Bettwanzen schlug mir entgegen; das Innere des Hauses war finster, feucht und modrig. Ich tastete mich zur Treppe vor und klomm hinan, von ihrem Krachen geleitet. Im zweiten Stock öffnete sich fußbreit eine Türe, ein Gesicht lugte hervor, doch als ich im Lichtstrahl stand, wurde sie heftig zugeschlagen. Die Niederkunft fand offenbar im fünften und letzten Stockwerk statt, denn hier drangen unter einer der Türen Lärm und Licht hindurch. Ich stieß sie auf und trat ein.

«Keine Angst!» rief ich. «Ich bin da.»

Ich sah mich im Raum um. Er war nicht klein, aber es ging auch eine Menge in ihm vor. In der Mitte rauften sich drei oder vier Kinder auf dem pockennarbigen Linoleum um den Besitz eines Spielzeugs, das aus einem Stück Schachteldeckel bestand, in dem ein Nagel steckte. In der einen Ecke bereitete ein dickes Weib vollkommen gelassen eine Tasse Tee auf einem Gasrechaud zu, und in der anderen las ein Mädel von ungefähr siebzehn Jahren mit langem gelbem Haar die letzte Sonntagsausgabe der *News of the World*. Eine Katze, die offenbar von der erregten Atmosphäre des Zimmers angesteckt war, sprang hysterisch zwischen den Kindern herum. Hinter der Tür stand ein Bett, daneben saß die Oma — diese tritt stets bei derartigen Gelegenheiten in Aktion, gleichgültig, welchem sozialen Niveau die betreffende Partei angehört. Oma sprach in ermunterndem Ton, dem allerdings einige warnende Dämpfer aufgesetzt waren, auf die junge Mutter im Bett ein; diese war ein mageres, blasses, zartes Geschöpf, und es war offenkundig, daß die Angelegenheit schon beängstigend weit vorgeschritten war. Ein festes Feuer prasselte auf dem Rost, und vom Kaminsims herab blickte Marschall Montgomery demonstrativ spöttisch auf die Szene.

«Ihre Stunde ist da, Herr Doktor», sagte Oma mit sichtlicher Befriedigung.

«Nun brauchen Sie sich nicht länger zu sorgen, Frau», erwiderte ich in forschem Ton.

Ich legte meine Ausrüstung auf den Boden und zog meinen Dufflecoat aus, der Ströme schmutzigen Wassers auf das Linoleum ergoß. Das erste war, Ellbogenfreiheit zu bekommen und die nicht spielenden Mitglieder des Teams hinauszuwerfen.

«Wer sind Sie?» fragte ich das Weib, das den Tee kochte.

«Die Nachbarin», antwortete sie. «Ich dachte mir, das arme Ding würde gern eine Schale Tee trinken.»

«Ich brauche heißes Wasser», sagte ich streng. «Massenhaft heißes Wasser. Füllen Sie Kessel damit an, oder was Sie sonst haben. Verlassen Sie jetzt alle dieses Zimmer und machen Sie Wasser heiß. Nehmen Sie auch die Kinder mit. Sollten die nicht schon längst zu Bett sein?»

«Sie schlafen hier herinnen, Herr Doktor», sagte Oma.

«Oh. Nun — sie können Ihnen an die Hand gehn. Und nehmen Sie auch die Katze hinaus! Los, bitte, Sie alle! Heißes Wasser in Mengen jetzt!»

Sie entfernten sich unwillig und enttäuscht. Sie liebten Unterhaltungen fundamentaler Art.

«Nun, junge Mutter», begann ich, als wir allein waren. Da entdeckte ich plötzlich etwas Entsetzliches — ich spürte es direkt in der Magengrube. Die Hebamme — die kühle, erfahrene, Zuversicht einflößende Hebamme —, wo war sie? Was war ihr heute nacht, in dieser für uns beide unvergeßlichen Nacht, zugestoßen? Eingeschneit, natürlich! Mir war wie einem Schauspieler zumute, der seinen Einsatz vergessen hat und entdeckt, daß der Souffleur einen heben gegangen ist.

«Junge Mutter», fragte ich ernst, «wie viele Kinder besitzen Sie?»

«Fünf, Herr Doktor», stöhnte sie.

Nun, das war immerhin etwas. Wenigstens kannte sich einer von uns ein bißchen aus.

Ihr Zustand begann sich in erschreckender Weise zu verschlimmern.

«Ich glaube, jetzt kommt's, Herr Doktor!» keuchte sie zwischen zwei Wehen. Ich faßte kräftig nach ihrer Hand.

«In einer Minute wird alles in Ordnung sein», sprach ich so zuversichtlich wie möglich. «Überlassen Sie alles nur mir.»

«Mir geht's elend!» rief sie jämmerlich.

«Mir auch», sagte ich.

Ich fragte mich, was um alles in der Welt ich jetzt tun sollte.

Immerhin besaß ich einen Beistand, den ich in weiser Vorausahnung mitzunehmen die Mühe nicht gescheut hatte. Ich suchte jene Ecke auf, die am weitesten von der jungen Mutter entfernt war, und tat so, als wartete ich vertrauensvoll auf den genauen Zeitpunkt meiner Intervention. Meiner Hosentasche entnahm ich ein dünnes, aber wertvolles Bändchen in einem biegsamen roten Einband, «Der Freund des Mediziners bei schwierigen Geburtsfällen» betitelt. Der Verfasser war ein sachlich denkender Gynäkologe an einem schottischen Krankenhaus, der sich keinen Illusionen bezüglich dessen hingab, was Studenten schwierig finden würden. Das Buch begann mit dem Abschnitt «Die normale Entbindung». Der Text war ohne Erörterung, direkt und in kurz bezeichneten Paragraphen gehalten, wie ein Kochbuch. Ich warf einen Blick auf die erste Seite.

«Sterilisieren», hieß es da. «Der Student muß für die Entbindung eine sterile Umgebung zu schaffen trachten und seine Hände wie für einen chirurgischen Eingriff reinigen. Im Falle sterile Tücher nicht zur Verfügung stehen, kann Zeitungspapier verwendet werden, da dieses oft bakterienfrei ist.»

Zeitungspapier — das war's! Ein Stoß davon lag in der Ecke, und ich verteilte die Bögen über dem Fußboden und über dem Bett. Diese Methode wurde im Bezirk allgemein angewandt; Mr. Percy Cudlip, der Herausgeber des *Daily Herald*, würde höchlichst überrascht sein, wenn er erführe, wie viele Babys jährlich in seinem Blatt das Licht der Welt erblicken.

Es klopfte an der Türe, und Oma reichte mir eine Emailschale mit kochendem Wasser herein.

«Ist es schon da, Herr Doktor?» fragte sie.

«Fast», sagte ich. «Ich brauche noch Unmengen heißes Wasser.»

Ich stellte das Gefäß auf den Tisch, nahm eine Seife und eine Bürste aus meiner Tasche und begann mir die Hände zu schrubben.

«Oh, Herr Doktor, Herr Doktor . . .!» schrie die Mutter.

«Ängstigen Sie sich nicht», sagte ich begütigend.

«Es kommt, Herr Doktor!»

Ich scheuerte die Hände wie verrückt. Die Mutter stöhnte. Oma rief durch die Türe, daß sie weiteres heißes Wasser hätte. Ich schrie ihr zu, sie solle draußen bleiben. Die Katze, die nicht, wie anbefohlen, entfernt worden war, sprang mitten auf die Zeitungsblätter und begann sie mit ihren Krallen zu zerreißen.

Plötzlich vernahm ich eine neue Note in den Schreien der Mutter — ein hohes, klagendes, ersticktes Wimmern. Ich ließ die Seife fallen und riß die Bettdecke weg.

Nachdem das Baby gewaschen war, wurde es in einer der Schubladen des Schranks untergebracht, die einmal jährlich der Reihe nach als Kinderbettchen dienten. Die Mutter war selig und erklärte, sie hätte noch nie eine so angenehme Entbindung gehabt. Die Zuschauer wurden wieder hereingelassen und alberten mit dem Kind. Tassen Tee machten die Runde. Ich bekam die beste, mit Zucker darin. Ich fühlte, daß das Ansehen des ärztlichen Berufes noch nie höher gestanden hatte.

«Helfen Sie bei vielen Babys, Herr Doktor?» fragte die Mutter.

«Bei Hunderten», sagte ich. «Tagtäglich.»

«Wie heißen Sie, Herr Doktor, wenn ich fragen darf?»

Ich nannte ihr meinen Namen.

«Ich werde es nach Ihnen nennen. Ich nenn' die Babys immer nach dem Doktor oder nach der Hebamme — je nachdem.»

Ich strahlte vor Glück und verbeugte mich würdevoll. Richtig stolz war ich auf das Kind. Es war mein erstes Baby, das erste, das sein Leben meiner Geschicklichkeit und Umsicht verdankte. Schon hatte ich inmitten dieser schmeichelhaften Atmosphäre vergessen, daß meine einzige Handleistung bei der Entbindung darin bestanden hatte, daß ich die Bettdecke zurückschlug.

Ich packte meine Instrumente zusammen, schlüpfte in meinen feuchten Dufflecoat und verabschiedete mich mit einem strahlenden Lächeln. Vor der Haustür sah ich zu meiner Befriedigung, daß

es zu schneien aufgehört hatte und die Wege im Laternenlicht reiz-
voll glitzerten. Ich begann im Gehen zu pfeifen. In diesem Augenblick bog die Hebamme auf ihrem Rad um die Ecke.

«Tut mir leid, Verehrtester», sagte sie, als sie herankam. «Ich
war eingeschneit. Waren Sie schon oben?»

«Oben! Es ist längst alles vorbei!»

«Haben Sie irgendwelche Schwierigkeiten gehabt?» fragte sie
voll des Zweifels.

«Schwierigkeiten!» rief ich verächtlich. «Nicht die geringsten!
Alles ging glänzend.»

«Hoffentlich haben Sie daran gedacht, die Nachgeburt zu entfernen?»

«Selbstverständlich!»

«Na, dann kann auch ich nach Hause fahren. Wieviel wog es
denn?»

«Neun Pfund auf der Küchenwage.»

«Ihr Studenten seid alle schreckliche Lügner!»

Ich ging durch den Schneematsch zum Spital zurück, als ob ich
auf einem dicken Teppich dahinschritte. Es war spät geworden.
Ein heißes Bad, dachte ich, und dann ein gutes Frühstück... und
dabei lag die Tagesarbeit schon hinter mir! Ich war von heißer
Vorfreude erfüllt und entdeckte plötzlich, daß ich äußerst hungrig war.

Der Portier beim Spitalstor sprang bei meinem Anblick vom Sitz.

«Eilen Sie sich, Sir», rief er, «und Sie werden gerade noch zu-
rechtkommen!»

«Was heißt das?» fragte ich unruhig.

«Ein neuer Fall, Sir. Wartet bereits seit zwei Stunden. Die anderen Herren sind schon weg.»

«Aber mein Frühstück...»

«Tut mir leid, Sir. Es ist verboten, Mahlzeiten zu halten, wenn
ein Fall vorliegt. Befehl des Deans.»

«Ach, hol's der Teufel!» sagte ich. Ich nahm den zerknitterten
Zettel entgegen, der die neue Adresse enthielt. «So schaut also
die Geburtshilfe aus», fügte ich düster hinzu.

«Gewiß, Sir», meinte der Portier fröhlich. «Alle kommen dabei
am Ende ganz herunter.»

Macht unsre Bücher billiger!...

... forderte Tucholsky einst, 1932, in einem «Avis an meinen Verleger». Die Forderung ist inzwischen eingelöst.

Man spart viel Geld beim Kauf von Taschenbüchern. Und wird das Eingesparte gut gespart, dann zahlt die Bank oder Sparkasse den weiteren Bucherwerb: Für die Jahreszinsen eines einzigen 100-Mark-Pfandbriefs kann man sich drei Taschenbücher kaufen.

10

Jedermann, der in einem Spital arbeitet, wird von den tagtäglich auf ihn einstürmenden kleinen Krisen so in Anspruch genommen, daß das Nahen des Weihnachtsfestes mitten in den langen,
dunklen, bronchitischen Winterwochen direkt überraschend wirkt.
Der Feiertag bricht strahlend in das Alltagsleben des Spitals ein
wie unerwarteter Sonnenschein in die Untergrundbahn.

Es gab jedoch zu St. Swithin ein warnendes Vorzeichen der
kommenden festlichen Zeit — das war das starke Anschwellen
der Krankheitsfälle in der Kinderabteilung.

Jedes Jahr zu Weihnachten gab die Spitalsleitung in der Haupt-
halle des Gebäudes eine Kinderjause, zu der ungefähr tausend
Buben und Mädel des Bezirks eingeladen wurden. Man pflegte mit
der Gastfreundlichkeit nicht zu knausern und sorgte in reichem
Maße dafür, daß der Appetit der jugendlichen Gäste befriedigt wurde. Es war ein Ereignis, wie es wohl nur von einem Ernest He-
mingway, einem Negley Farson oder solchen Schriftstellern tref-
fend wiedergegeben werden kann, die die Gabe besitzen, der Schilderung einer Massenabfütterung wilder Tiere starke Reize abzu-
gewinnen.

Die Kinder begannen sich bald nach Mittag vor den versperrten
Toren des Ambulatoriums zu versammeln; um drei Uhr nachmittags sah die Spitalsfront aus wie eine Konzerthalle an einem Sams-
tagvormittag. Schlag vier öffneten die Pförtner die Tore, und die
Menge wälzte sich kratzend, raufend, schreiend und heulend in
das Gebäude, wobei die fallweise durch die Fäuste und Ellbogen
der Nachbarn hervorgerufenen Schmerzen vom allgemeinen dringenden Wunsch, zum Futtertrog zu gelangen, in den Hintergrund
gedrängt wurden. Sie stürzte durch den Vorraum, erstürmte die
breite, parkettierte Halle und erschöpfte ihre Triebkraft an einem
Stoß klebriger, weißglasierter Korinthenbrötchen.

Diese stellten die Grundlage der Bewirtung dar, aber es gab
außerdem noch eine große Menge anderer Genüsse — einen hohen
Weihnachtskuchen mit brennenden Kerzen, Fässer mit Johannis-
beer-Eiscréme, Gelee in den Farben der Verkehrslichter, Orangen
mit durchdringendem Duft und süßen Tee in großen Emailkannen.
Die nicht zum Verzehren bestimmten Attraktionen bestanden aus
Papierketten, Knallbonbons, komischen Kopfbedeckungen, einem
über drei Meter hohen Baum und dem Weihnachtsmann. Dessen
Rolle zu übernehmen oblag dem Stationsarzt der Kinderabteilung.

Das Gewand, den Bart, den Sack und das Spielzeug stellte die Spitalsleitung bei; der Doktor selbst mußte sich lediglich vom Dach aus durch den Kamin in die dichte Menge der schreienden Kinder hinunter abseilen lassen. Dieser Verpflichtung unterzog er sich mit den Empfindungen eines nervösen Märtyrers, der in einen Bärenzwinger geworfen wird.

Es war dabei unvermeidlich, daß er seine kleinen Patienten anhauchte, deren durch mancherlei Erfahrungen geschärften Nasen der stark nach gemischten Likören riechende Atem nicht entging. Das gab Anlaß zu folgenden entzückten Kommentaren:

«Jeh! Hat der aber gesoffen!»

«Der riecht wie Pappi am Samstag!»

«Gib uns auch einen Schluck, Onkel!»

All das hatte der Hausarzt mit einem starren Lächeln entschlossenen Wohlwollens über sich ergehen zu lassen.

Die Jause wurde, soweit es möglich war, von der Ambulatoriumsschwester und einem erweiterten Pflegerinnenstab beaufsichtigt. Ihre gestärkten Hauben und Schürzen gingen im Laufe des Nachmittags eine innige Verbindung mit der Eiscreme ein, da sie versuchten, das Prinzip der gerechten Verteilung auf ein Gemeinwesen anzuwenden, das einen lebhaften kapitalistischen Geist entfaltete, indem es an sich zu raffen suchte, was zu raffen war. Die Energie der Kinder ließ nur in jenen Augenblicken nach, da sie sich in eine Ecke zurückziehen mußten, um sich zu übergeben; aber die Gastfreundschaft St. Swithins kannte keine Grenzen, und gewöhnlich trat der Fall ein, daß mehrere der kleinen Gäste über Nacht im Hause behalten wurden.

Daß die alljährliche Kinderjause ein ebenso sicheres Anzeichen des kommenden Weihnachtsfestes war wie der höflich werdende Briefträger — das hatte seine Begründung in den Vorschriften bezüglich der Zulassung zu diesem Treffen. Die Spitalsleitung hatte vor vielen Jahren die Entscheidung gefällt, daß im Hinblick auf die Unmöglichkeit, jedes Kind des Bezirks zu bewirten, Einladungen nur an solche ausgegeben werden sollten, die sich während der Monate November und Dezember in Spitalspflege befunden hatten. Da sämtliche Kinder im Umkreis von ein paar Meilen von der Jause wußten und vollkommen mit den Zulassungsbedingungen vertraut waren, nahmen vom einunddreißigsten Oktober an die Kinderkrankheiten in erschreckendem Maße zu. Dieser Umstand hatte kürzlich einen neu eingetretenen findigen Stationsarzt der Abteilung dazu veranlaßt, sich hinzusetzen und einen zur Veröffentlichung in der *Lancet* bestimmten wissenschaftlichen Bericht über das beängstigende Ansteigen von Magenschmerzen bei den Londoner Schulkindern im letzten Viertel des Jahres zu verfassen.

Das weihnachtliche Treiben ging mit der Entschuldigung vonstatten, daß das Personal die Verpflichtung habe, für die Unterhaltung der Patienten zu sorgen, genau so, wie Erwachsene unter dem Vorwand, die Kinder belustigen zu müssen, in den Zirkus oder in Pantomimen gehen. Die Krankensäle wurden dekoriert, der Warteraum des Ambulatoriums mit Papierschlangen ausgestattet, und am Christtag wurden sogar die Operationssäle festlich geschmückt. Das Spital bot den grotesken Anblick eines Kriegsschiffs während der «Marinewoche», wenn die Geschütze und ähnlich düsteres Rüstzeug an Deck mit lustigen Flaggen behängt sind. Verwandte, Freunde, Besucher, ehemalige Akademiker und Studenten strömten herbei; es war ein Familienfest von Riesenausmaßen.

Zum ersten Weihnachtsfest, das in meine Spitalszeit fiel, war ich pflichtgemäß nach Hause gefahren, aber beim zweiten beschloß ich, dazubleiben und den Spaß mitzumachen. Ich stand damals am Ende meines zweiten Lehrgangs in der internen Praxis, diesmal als ein Schutzbefohlener des Deans, Dr. Loftus, im Prudentia-Saal.

Eine Woche vor dem Heiligen Abend verteilte die Abteilungsschwester Bögen bunten Kreppapiers an die Patienten und wies sie an, gekrauste Schirme für die Bettlampen, Papierketten, Figuren zum Bekleben der Fenster und ähnliches weihnachtliches Beiwerk auszuschneiden. Schwester Prudentia war anders als die meisten ihrer Kolleginnen zu St. Swithin. Sie war eine dicke, freundliche, lustige Frau mit einer Leidenschaft für Guinness-Starkbier, die sie vergeblich zu verbergen trachtete. Nie hatte sie ein bitteres Wort für die Studenten, in denen sie nette und unzurechnungsfähige Tolpatsche erblickte, und die Pflegerinnen behandelte sie als durchaus normal geartete fehlbare Menschenwesen. Zudem erfreute sie sich des glänzenden Rufes, Schwester Virtus' Energie zu verabscheuen.

«Ich mach' mir solche Sorgen um Nummer 12», sagte sie mir eines Nachmittags leise. Ich folgte ihrem Blick und sah ein zusammengeschrumpftes, gelbes altes Männchen, das flach auf dem Rücken lag und ohne jede Begeisterung eine rote Papierfigur ausschnitt. «Hoffentlich stirbt er mir nicht vor der Weihnachtsfeier», fuhr sie fort. «Es wäre so schade, wenn er das alles nicht mehr erleben könnte!»

Am Heiligen Abend hängten die Studenten und Pflegerinnen die Papierketten auf und fixierten den Weihnachtsbaum vor der zu hygienisch-nüchtern aussehenden Türe des Spülraums. Schwester Prudentia strahlte ihre freiwilligen Helfer an, da sie bereits zu diesem Zeitpunkt sicher war, daß ihr Krankensaal reicher geschmückt sein würde als der von Schwester Virtus. Es war ein leibhaftiges Papierdschungel. Rote und gelbe Schlangen hingen in flachen Bögen kreuz und quer von der so abscheulichen Decke herab, und die dunkle Wandtäfelung war lustig mit bunten Sternen, Kreisen und Rosetten bedeckt, wie wenn ein trübseliges Winterbeet im Frühling zu treiben beginnt. Die streng zweckmäßigen Beleuchtungskörper über den Betten wurden mit Lampions verkleidet, die jedoch so wenig Licht durchließen, daß sie selbst einen so simplen Handgriff wie das Verabreichen einer Injektion in eine unangenehme und gefährliche Operation verwandelten. Die dunklen Stäbe der Eisenbetten wurden mit scharlachrotem Kreppapier bekränzt, der lange Tisch in der Mitte des Saals war mit künstlichem Schnee bestreut, und offensichtlich ganz unsterile Stechpalmzweige wucherten ungehindert aus jeder Ecke hervor. Und das Wichtigste von allem: ein Mistelbusch hing über dem Eingang. Um Unterbrechungen im täglichen Arbeitsablauf des Krankensaales zu vermeiden, durfte der Zweig, einem Spitalsbrauch zufolge, erst am Morgen des Weihnachtstages angebracht werden; vorher maßen die Pflegerinnen und Studenten einander mit neu und scharf einschätzenden Seitenblicken, um zu bestimmen, in wessen Nähe sie sich halten sollten, sobald der Sport begänne. Was Schwester Prudentia anbelangte — die hätte es als persönliche Beleidigung aufgefaßt, wenn sie nicht von jedermann, von Dr. Loftus angefangen bis zum jüngsten Studenten hinunter, umarmt worden wäre. «Ich liebe das Weihnachtsfest!» rief sie voll Begeisterung. «Es ist ja doch die einzige Zeit, wo ein so altes Frauenzimmer wie ich einen Kuß kriegt!»

Die Studenten hatten zu Weihnachten noch eine anspruchsvollere Aufgabe, als einfach den Saal auszuschmücken. Es herrschte zu St. Swithin die Tradition, daß jede Firma in einem der Hauptsäle eine kurze Theateraufführung eigener Konzeption zum besten gab. Dies geschah im Einklang mit dem uralten englischen Brauch, zu Weihnachten den Mantel der dieser Nation so eigentümlichen Befangenheit abzulegen, um die darunterliegende ebenso abscheuliche Vorliebe für Scharaden zu enthüllen. Kein einziges Mitglied des Personals zu St. Swithin hätte sich um die Mitwirkung oder

92

die Anwesenheit bei der Weihnachtsaufführung herumgedrückt; das wäre ebensowenig in Frage gekommen wie das Verweigern einer Operation bei einem akuten Fall von Appendicitis. Sie warren ein Teil der Spitalsgeschichte, und die Legende erzählte, daß Sir Benjamin Bone höchstpersönlich als Student mit seinem schönen Bariton zur Weihnachtsunterhaltung beigetragen hatte, wobei ihn der junge Larrymore auf einer absichtlich falsch gestimmten Violine begleitete.

Der dramatische Aufbau dieser Darbietungen war ebenso strengen Regeln unterworfen wie das klassische Schauspiel der Griechen oder eine kleinstädtische Pantomime. Gewisse Dinge mußten darin enthalten sein, sonst hätte sich das Publikum als hintergangen angesehen. Zum ersten war es unerläßlich, daß ein möglichst großer Student als Pflegerin verkleidet auftrat, wobei zwei Paar Rugby-Socken gewisse Wölbungen vortäuschten. Dann mußte ein Song aufgenommen werden, der deutliche Anspielungen auf die kleinen beruflichen und persönlichen Feindseligkeiten unter der Ärzteschaft machte — Vorfälle, von denen diese bisher angenommen hatten, daß sie unbemerkt geblieben seien. Ebenso wichtig waren unzarte Späße über Leibschüsseln und ähnliche Inventarstücke des Spitals. Eine Szene mußte die Leiden eines Patienten unter der Behandlung eines wilden Haufens von Ärzten und Studenten darstellen, und als Abschluß gab es stets einen tosenden gemeinschaftlichen Gesang.

Auch die Mitwirkenden waren festen Regeln unterworfen. Keine Truppe hätte es auch nur einen einzigen Augenblick lang in Erwägung gezogen, die Bretter nüchtern zu betreten, und das wichtigste Mitglied des Ensembles war jener Überzählige, der ein Bierfaß auf einer Rollbahre herumfuhr. Wesentlich war auch, daß die Spielgemeinschaft ein oder zwei Ersatzmänner umfaßte, da bei den meisten Darbietungen einige aktive Schauspieler noch vor den letzten Szenen umfielen und hinter die Kulissen getragen werden mußten.

Zwei Tage vor Weihnachten ergriff Grimsdyke die Initiative und ordnete an, daß die Firma sich abends im «König Georg» zu versammeln habe, sobald das Lokal geöffnet sei. Wir waren unser sieben: Grimsdyke und Tony Benskin, John Bottle, der etwas reife Student Sprogget, Evans, der prächtige Waliser, Harris, der eifrige Büffler, und ich. Wir versammelten uns rund um das Klavier in einer Ecke der Trinkstube.

«Also hört gut zu, Jungens», begann Grimsdyke voll Autorität.

«Wir alle müssen ein bißchen Talent zusammenkratzen. Die Zeit drängt. Es bleibt uns bloß ein und ein halber Tag zum Verfassen, Einstudieren und Proben einer der glänzendsten Aufführungen, die in St. Swithin je Furore machten. Kann einer von euch Burschen Klavier spielen?»

«Ich spiele ein bißchen», sagte ich. «Aber meistens nur Hymnen.»

«Das macht nichts. Hymnenmelodien können mit einem Mindestmaß von Erfindungsgabe in alles mögliche variiert werden. Also ein Punkt wenigstens ist erledigt. Was für ein Stück sollen wir aufführen? Eine Pantomime oder so etwas Ähnliches wie eine Posse?»

«Ich möchte euch nur mitteilen», sagte Harris tatenlustig, «daß es allgemein für wahnsinnig komisch gehalten wird, wenn ich ‹Klein Polly Perkins aus Paddington Green› singe. Ich hab's letztes Jahr daheim bei einem Konzert kirchlicher Musik zum besten gegeben und kann sagen, daß es eine regelrechte Sensation war.»

«Bitte!» meinte Grimsdyke. «Kann noch jemand was? Du kannst doch zaubern, nicht wahr, Tony?»

«Mein Gott, die gewissen Tricks», gab Benskin bescheiden zu. «Nichts so Großartiges wie eine Pflegerin in die Hälfte sägen — nur so etwas wie Karnickel aus dem Hut ziehen und dergleichen.»

«Das wird die Kinderchen amüsieren, also werden wir auch diese Nummer einschalten. Du kannst dich auch irgendwann einmal als Pflegerin verkleiden. John, du übernimmst am besten den romantischen Teil. Was kannst du, Sprogget?»

«Ich? Oh, ich kann gar nichts ... das heißt ... ihr müßt wissen ...» Er kicherte verlegen. «Ich kann Kinderstimmen imitieren.»

«Das paßt zu dir. Gut, imitiere Kinderstimmen. Du, lieberAlter, Evans, wirst allgemeiner Ersatzmann, Regisseur, Garderobiere und Bierführer sein. Oder verfügst du vielleicht über eine schmelzende walisische Stimme?»

«Meine Stimme ist nur dann gut, wenn sie mit vierzigtausend anderen in Twickenham verdünnt wird.»

«Oh, richtig, Harris hat es sich ja in den Kopf gesetzt, zu singen. Dem entgehen wir nicht. Also, damit hätten wir eigentlich die Schwierigkeiten der Rollenverteilung erledigt.»

«Was ist mit dir? Was übernimmst du?» fragte ich ihn.

«Ich werde das Stück schreiben, einstudieren und Regie führen, sowie ein kurzes Gedicht eigener Komposition zu Ehren St.

94

Swithins vortragen. Ich glaube, es wird ausgezeichnet wirken. Ich nehme an, daß niemand dagegen einen Einwand zu erheben hat?»

Wir schüttelten unterwürfig unsere Häupter.

«Gut. Was wir noch brauchen, ist ein Titel. Er muß kurz, bündig, von Witz sprühend und mit einem medizinischen Beigeschmack versehen sein, den die Patienten verstehen können. Hat jemand Vorschläge?»

Wir sieben dachten einige Minuten schweigend nach.

«Wie wär's mit ‹Lachgas›?» schlug ich vor.

Grimsdyke schüttelte den Kopf. «Zu abgedroschen.»

«‹Kinderstube im Krankensaal›?» sagte Benskin eifrig. «Oder ‹Die Neunundneunziger›?»

«Beides war letztes Jahr schon da.»

«Ich hab's!» Harris sprang von seinem Sitz hinter dem Klavier auf. «‹Ein Juxklistier›! Wie findet ihr das?»

«Scheußlich.»

Wir dachten weiter nach. Plötzlich schnalzte Grimsdyke mit den Fingern. «Gerade das Richtige!» kündigte er an. «Das einzig Richtige! Was haltet ihr von ‹Die Schwanksüchtigen›?»

Das Ensemble starrte ihn fassungslos an.

«‹Die Schwanksüchtigen›», erklärte er, «ist ein Wortspiel von ‹Die Schwindsüchtigen›. Alle Patienten wissen, was das bedeutet. Habt ihr's erfaßt? Gerade der richtige Anstrich, glaube ich. Nun laßt uns weitertun und das Manuskript verfassen.»

Die Vorführung wurde — im Mißverhältnis zu ihrem geringen Umfang und ihrer Unreife — unter heftigen Wehen geboren. Da das Ensemble seine tägliche Spitalsarbeit weiterführen mußte, hatte der Spielleiter große Schwierigkeiten, alle gleichzeitig an ein und demselben Ort zu versammeln; und wenn endlich alle da waren, bestand jeder einzelne darauf, daß er Änderungen am Manuskript vornehme. Erschöpft hing ich über dem Klavier; es fiel mir nicht leicht, die Melodie von «Vorwärts, christliche Sodaten» in eine passende Begleitung zu einem Duett zu transponieren, das Benskin und Grimsdyke sich in den Kopf gesetzt hatten; es enthielt eine ernste Warnung und begann folgendermaßen:

«Dein Leiden, Mensch, erforsch nicht tief,
sieh's gleich als Lues an;
denn weißt du's endlich positiv,
ist's auch dein Wassermann.»

Und endete mit:

«Mein armes Kind ist taub und stumm,
es fehlt ihm allerhand.
Hat nichts als Pusteln um und um,
o Schand, o Schand, o Schand!»

Als der «König Georg» schloß, verlegten wir unsere Probe in
den verlassenen Gemeinschaftsraum der Studenten; als wir heiser
und erschöpft waren, plumpsten wir auf die ungefederten Sofas
nieder, um zu schlafen. Verbissen probten wir den ganzen folgenden Tag. Endlich rieb sich Grimsdyke zu später Stunde am Heiligen Abend die Hände und verkündete: «Das muß sogar auf die
Lippen eines chronischen Melancholikers ein Lächeln zaubern.»

II

DEN PATIENTEN BOT DER WEIHNACHTSTAG EINE GANZE MENGE. SIE
wurden wie sonst von den Nachtschwestern um fünf Uhr früh ge-
weckt, erhielten ein Gefäß mit kaltem Wasser und wurden mit einem «Frohe Weihnachten!» begrüßt. Nach dem Frühstück legten
die Pflegerinnen ihre Hauben ab, setzten komische Hütchen auf
und schoben jene Patienten, die durch ein unvorhergesehenes Verscheiden den Spaß verderben könnten, in versteckt gelegene Krankenzimmer ab. Schwester Virtus betätigte sich ganz besonders erfolgreich als Walküre: ihre lange Erfahrung in Krankheiten und
Ärzten hatte sie befähigt, einen seinem Ende entgegengehenden
Fall einige Tage früher als der Ärztestab zu erkennen. Sie brauchte bloß einen Blick auf einen anscheinend genesenden Patienten
zu werfen und die nackte Erklärung abzugeben: «Der schafft's
nicht mehr, Sir», und schon traf der Anstaltsarzt vertrauensvoll
die Arrangements für die Totenbeschau.

Als ich mitten am Vormittag den Krankensaal betrat, schien
bereits eine prächtige Schulschlußstimmung zu herrschen. Man
durfte Dinge tun, an die zu jeder anderen Zeit des Jahres nicht
einmal zu denken erlaubt war. Das Rauchen war den ganzen Tag
gestattet, nicht nur, wie sonst, während der Stunde nach den Mahlzeiten; das Radio wurde noch vor Mittag eingeschaltet und, als sei
es damit noch nicht genug, erhielt jeder Patient eine Flasche Bier.

Die Schwester trat von Bett zu Bett und verteilte Geschenke
vom Baum, und zwei alte Herren in Schlafröcken, deren Blut-

druckmessung beängstigende Resultate ergeben hatte, tanzten in Schwesternhauben und -schürzen einen flotten Hochländer. Drei oder vier Studenten mit Mistelzweigen waren ständig auf der Jagd nach Pflegerinnen; sehr anspruchsvoll schienen sie nicht zu sein.

Als ich den Saal betrat, rannte eine Pflegerin kichernd aus dem Spülraum, Tony Benskin auf den Fersen, dessen Gesicht den Ausdruck wildesten Begehrens trug.

«Nun aber Schluß, Mr. Benskin!» rief sie. «Sie haben genug gehabt!»

Benskin hielt inne, als er mich erblickte.

«Du sagtest doch, daß du frühzeitig herkommen wolltest, um Harnproben zu machen?» bemerkte ich.

«Man trifft ab und zu alte Bekannte», erklärte er schlicht. «Man darf sich nicht absondern. Schließlich ist es Weihnachten. Komm in den Spülraum. Ich hab' da eine Flasche.»

Ich folgte ihm.

«Außerdem war ich der Meinung, daß du den Pflegerinnen aus dem Weg gehst.»

«Süße Geschöpfe!» sagte Benskin strahlend. «Sie sind geschlechtlich so erfrischend ausgehungert!»

Ich bemerkte die Ginflasche, auf die er mich eingeladen hatte.

«Großer Gott, Tony», sagte ich. «Hast du das alles schon so früh am Morgen geschafft?»

«Es ist Weihnachten, Alter.»

«Tony, du bist schon total voll!»

«Was macht das schon? Es ist noch eine Menge Gin im Instrumentenkasten. Grimsdyke hat ihn gestern dort versteckt. Schließlich ist es Weihnachten. Trink!»

«Nun gut. Eigentlich gehör' ich ebenso zur Partie wie du.»

Der Gin im Instrumentenkasten war gegen Mittag zu Ende, als Dr. Lionel Loftus samt Gattin und zwei häßlichen Töchtern auftauchten, die jedes Jahr wie die Weihnachtsdekorationen zur Schau gestellt wurden, aber mit weniger Erfolg. Es ward ihnen ein äußerst animierter Empfang zuteil.

«Da ist unser alter Dean!» schrie Benskin und sprang auf ein Bett. «Ein dreifaches Hoch auf den Dean, Jungens! Dreimal hoch soll er leben, der alte Lofty! Dreimal hoch soll er leben, der gute alte Dean!»

Der Dean stand, eitel Lächeln, in der Türe, während man ein dreifaches Hoch auf ihn ausbrachte und der ganze Saal in den

Ruf einstimmte: «Denn er ist ein lieber alter Kerl.» Er küßte die Schwester unter dem Mistelzweig, machte seinen Ärzten eine Flasche Sherry zum Geschenk und drückte den Patienten die Hände. Seine eigene Programmnummer war recht einfach: er brauchte nur die Mütze eines Kochs aufzusetzen und den Truthahn in der Mitte des Saals zu tranchieren. Er zeigte sich dabei nicht sehr geübt, und die letzten Patienten bekamen eine kalte Portion; es war eben ein Nachteil, das Weihnachtsmahl auf der internen Abteilung des Spitals einzunehmen. Die Chirurgen erwiesen sich natürlich als geschickter, und Sir Lancelot Spratt war bekannt dafür gewesen, daß er den Vogel binnen paar Minuten in Streifen zerschlitzte.

Während der Mahlzeit erschien Grimsdyke. Ich saß gerade auf einem Bett, einen Arm um eine Pflegerin geschlungen. Wir waren beide im Begriff, Quietscher aufzublasen.

«Hallo, Alter!» sagte Grimsdyke sichtlich beunruhigt. «Frohe Weihnachten, und was man sonst noch so wünscht. Wie fühlst du dich eigentlich?»

«Glänzend! Trink!»

«Die Burschen sind vermutlich alle schon in recht gehobener Stimmung?»

«Klar. Benskin ist schon sternhagelvoll.»

«O Gott! Hoffentlich ist er soweit in Ordnung, daß er nachmittags mithalten kann.»

Zerknirscht legte ich meinen Quietscher beiseite.

«Das hab' ich total vergessen! Vielleicht sehen wir lieber nach, wie's um ihn steht.»

«Wo ist er denn?» fragte Grimsdyke nervös.

Die Pflegerin erklärte: «Ich hab' ihn in den Spülraum gehen sehn. Er sagte, daß er müde sei und sich ausruhn wolle.»

Benskin ruhte sich tatsächlich aus, als wir ihn fanden. Er lag auf dem Steinboden, den Kopf im Ausguß.

«Aufwachen! Aufwachen!» kommandierte Grimsdyke mit einem ängstlichen Unterton in seiner Stimme. «Unsere Aufführung, Mensch! Wir sollen in einer halben Stunde beginnen!»

Benskin grunzte.

«Herr im Himmel!» rief Grimsdyke verzweifelt. «Den bekommen wir nie auf die Bühne hinauf ... Tony! Benskin! Reiß dich zusammen!»

Benskin öffnete flüchtig die Augen.

«Frohe W ... Weihnachten», stotterte er.

«Sollten wir es nicht mit einem Eisbeutel auf seinem Kopf versuchen?» schlug ich vor. «Oder mit einer intravenösen Vitamin-C-Injektion? Die soll den Alkohol oxydieren.»

«Wir werden ihn mit Wasser übergießen. Das könnte was nützen. Gib mir dieses Meßglas.»

Wir schütteten einen halben Liter kaltes Wasser über den unbrauchbaren Darsteller; er lag tropfnaß da wie eine Brunnenfigur, jedoch ebenso leblos.

«Halten wir ihn an den Armen und Beinen fest und schütteln wir ihn», sagte ich.

«Glaubst du, daß das etwas nützen wird?»

«Vielleicht. Schocktherapie ist manchmal äußerst wirksam.»

Grimsdyke hielt Benskin an den Armen, ich packte die Beine. Er war ein schwerer Bursche, und es bedeutete eine gewaltige Anstrengung, ihn emporzuheben.

«Fertig?» fragte Grimsdyke. «Also — eins, zwei, drei, los!»

Wir schüttelten ihn noch immer, als die Tür des Spülraums aufging und Schwester Prudentia eintrat.

«Hallo!» rief sie. «Was geht hier vor?»

«Mr. Benskin ist ohnmächtig geworden», sagte Grimsdyke schnell. «Ich glaube, die Aufregung war zuviel für ihn.»

Schwester Prudentia warf einen diagnostizierenden Blick auf den Patienten. Ihre berufliche Erfahrung brachte es mit sich, daß sie schnell und resolut handelte, wenn sie sich einem dringenden Fall gegenübersah.

«Schwester!» rief sie und begann ihre Ärmel hinaufzurollen. «Laufen Sie in die Unfallabteilung hinunter und bringen Sie die Selbstmordkiste herauf. Ziehen Sie Ihren Rock aus, Mr. Grimsdyke. Sie können mir bei der Magenpumpe behilflich sein.»

Benskins Magen wurde mit einer Bikarbonat-Lösung ausgeschwemmt, die man stets für die Behandlung von Selbstmordfällen bereithielt. Dann bekam er eine Schale schwarzen Kaffee und eine Benzedrin-Tablette. Zu diesem Zeitpunkt behauptete er bereits, dem Publikum gegenübertreten zu können.

«Es wird ein etwas farbloses Spiel werden», räumte er mit dicker Stimme ein. «Aber wenigstens werde ich auf meinen Füßen stehen können.»

Die Aufführung sollte im Fortitudo-Saal stattfinden; dieser lag in der chirurgischen Abteilung für Männer.

«Man unternehme derlei Dinge stets vor chirurgischen Patienten», sagte Grimsdyke. «Chirurgische Patienten sind entweder wohlauf oder tot. Sie befinden sich nie in jenem miserablen Zwischenstadium wie die internen. Außerdem leidet die Hälfte der internen Fälle an Magengeschwüren, und wer kann an einem Weihnachtstag schon fidel sein, wenn er nur ein Spiegelei und ein Glas Milch im Magen hat?»

Unsere Truppe erschien in der Aufmachung und im Kostüm, die Grimsdyke angeordnet hatte: weiße Flanellhosen und Hemden mit grünen Maschen. Die Bühne erhob sich in einer Ecke des Saals; sie war aus den Schirmen errichtet, die sonst dazu benützt wurden, Patienten von ihren Nachbarn abzusondern. Grimsdyke, dem es gelungen war, in seinen Flanellhosen elegant auszusehen, hielt besorgt seine lustlosen Schauspieler beisammen wie eine Kindergärtnerin ihre Kleinen beim Spiel.

«Können wir beginnen?» fragte er ängstlich. «Wo ist das Klavier?»

«Sieht fast danach aus, als hätten wir's irgendwo liegengelassen», sagte ich.

«Das verwünschte Klavier wäre mir wurst», warf John Bottle ein. «Aber wir haben auch das Bier verloren.»

Grimsdyke und Bottle verschwanden, um diese beiden wesentlichen Bestandteile einer Bühneneinrichtung aufzufinden; währenddessen memorierte Harris stockend den Text seiner «Polly Perkins», Sprogget stand mit dem Ausdruck schmerzlichster Konzentration in der Ecke und übte sich darin, wie ein dreijähriges Mädel zu plappern, und ich verrieb rote Fettschminke auf Benskins weiße Wangen.

«Wie fühlst du dich jetzt?» fragte ich ihn.

«Ich hab' mich oft gefragt, wie einem zumute ist, wenn man tot ist», sagte er. «Jetzt weiß ich es. Aber das Spiel muß stattfinden. Man darf schließlich sein Publikum nicht enttäuschen.»

Klavier, Schauspieler und Bier standen endlich auf ihrem Platz; die Zuschauer, die bis dahin unbequem auf dem Fußboden und auf Bettkanten sitzend oder an die Wand gelehnt gewartet hatten, begannen in ein ungeduldiges Klatschen auszubrechen.

«Um Himmels willen!» raste Grimsdyke. «Laßt uns beginnen! Bist du fertig, Richard? Was, zum Teufel, hast du unterm Klavier zu suchen?»

«Ich hab' anscheinend die Noten zum Eröffnungschor verloren», erklärte ich.

«Spiel, was du willst, verdammt nochmal! Spiel den Schlußchor. Spiel das God Save the King.»

«Ich werde euch nach dem Gehör begleiten.»

Der Wandschirm, der die Stelle des Bühnenvorhangs einnahm, wurde beiseitegeschoben, und das einzige Auftreten der Schwanksüchtigen ging über die Bretter, die die Welt bedeuten.

Die Vorstellung war nicht gerade sehr erfolgreich. Mr. Hubert Cambridge, der Chirurg, dem der Fortitudo-Saal unterstand, empfand das lebhafte Bedürfnis, im Laufe eines Jahres zweihundert Mägen zu entfernen, und hatte sich knapp vor Weihnachten in Gastrektomien ausgetobt. Da keiner der Patienten einen ganzen Magen sein eigen nannte und jeder über einen hochliegenden Bauchschnitt verfügte, der sogar das Atmen zu einem schmerzhaften Prozeß machte, war das Publikum nicht sehr empfänglich und lachbereit. Die Pflegerinnen, Studenten und Doktoren, die die Hauptmasse der Zuschauer bildeten, waren bereits von vornherein gegen die Darsteller eingenommen, weil so viel Zeit vor dem Aufgehen des Vorhangs verstrichen war, Zeit, die sie lieber auf das Weihnachtsmahl verwendet hätten. Nur das Ensemble, das (mit Ausnahme Benskins) sich stark ans Bier gehalten hatte, kam sich selbst verteufelt komisch vor.

Der Eröffnungschor bemühte sich erfolgreich, zu verhindern, daß die Zuhörer ein Wort verstanden; danach erzählte Grimsdyke eine Schnurre über einen Studenten und zwei Pflegerinnen, die mattes Klatschen auslöste. Die nächste Nummer war Benskins Zaubervorführung. Er erschien in einem schwarzen Umhang und dem hohen Hut eines Hexenmeisters und erntete spontanen Applaus, als John Bottle während seines einleitenden Abrakadabras auf die Idee verfiel, über den Rand des schwarzen Tuches hinweg ein brennendes Zündholz an die Spitze seiner Kopfbedeckung zu halten. Der Hut ging einige Sekunden, bevor Benskin es bemerkte, in Flammen auf; er löschte ihn ergrimmt in einer Schale mit Goldfischen.

Sein stolzester Trick war der, Wasser aus einer Kanne in die andere zu gießen, wobei er dessen Farbe änderte; er hatte jedoch an diesem Nachmittag keine gute Zielfertigkeit, und schon beim ersten Versuch schwappte der Großteil der Flüssigkeit auf den Boden des Saals.

«Schwester!» zischte eine deutlich vernehmbare Stimme aus dem Hintergrund. Es war die Schwester Fortitudos. «Putzen Sie sofort die Schweinerei weg, die der junge Mann da gemacht hat!»

Eine Pflegerin mit einem Mop bahnte sich einen Weg durch die Zuschauer und begann damit um die Füße des Zauberkünstlers

herumzuschwabbern, während er so tat, als bemerkte er sie als
einziger im Saal nicht. Erbost zog er danach eine Schnur mit Flaggen aus einem Zylinder und verließ beleidigt die Bühne.

Den Rest der Vorstellung nahm das Publikum mit gutmütiger
Apathie hin. Harris trug bei seinem Part, dem Gesangsvortrag
von «Klein Polly Perkins», einen Harry-Tate-Schnurrbart; er
stand vor Bottle, Sprogget und Benskin, die in den Refrain einfielen. Gegen Ende der dritten Strophe brachen die Zuschauer in
eine brüllende Lachsalve aus. Harris fühlte angesichts dieses Er-
folges sein Herz schwellen und sang munter drauflos. Als das Gelächter ein paar Sekunden später einen zweiten Höhepunkt erreichte, hielt er zögernd inne und wandte sich um. Die Ursache
des begeisterten Widerhalls lag klar zutage. Benskin hatte, endlich
vollständig übermannt, einen starken Anfall von Schlucken bekommen, bevor er sich in einer Ecke der Bühne übergab. In diesem Augenblick trat Kurzschluß ein, und niemand hielt es mehr
der Mühe wert, die Vorstellung zu Ende zu führen.

Jedes Jahr wurde zur Weihnachtszeit für ein paar Stunden die
offizielle Schranke zwischen Studenten und Pflegerinnen vorsichtig gelüftet: da fand im Speisesaal der Schwestern eine Tanzveranstaltung statt, an der die jungen Burschen teilnehmen durften.

Diese Tanzerei brachte einige Wochen vor dem Einlassen des
Fußbodens mit Federweiß das Leben in der «Zuflucht der Jungfrauen» in Unordnung. Die Mädel besprachen die Wahl ihrer Partner mit einer Ausführlichkeit, die nur dann gerechtfertigt gewesen wäre, wenn die jeweilige junge Dame den Rest ihres Lebens
in den Armen ihres Tänzers zu verbringen erwarten konnte. Toi-
letten wurden gereinigt, ausgebessert und verliehen, und die
Schwesternschülerinnen weinten angesichts ihrer Spiegelbilder
über die Verheerungen, die die stark kohlehydrathaltige Spitals-
kost und die Muskeltätigkeit bei der Krankenpflege an ihren Figuren angerichtet hatten. Am Abend der Tanzveranstaltung verließen die Mädchen eilends den Dienst, badeten, puderten, putzten
und parfümierten sich und stürzten hinunter, um ihre Kavaliere
unter dem marmornen Auge Florence Nightingales in der Halle
zu treffen.

Da ich damals im Spital über keine besondere Bindung verfügte, trat ich im Krankensaal an eine recht tapsige Pflegerin namens
Footte heran und fragte sie mit einem gezierten Lächeln, ob ich

ihr Begleiter sein dürfe. Sie geruhte mich gnädigst zu akzeptieren. Kurz danach traf ich Benskin im Hof.

«Gehst du zum Schwesterngehopse?» fragte ich ihn. «Ich habe mich gerade herabgelassen, die Kleine vom Prudentia-Saal zu engagieren.»

«Und wie ich geh', Alter! Nachdem ich mich von meinen Exzessen am Weihnachtstag erholt habe, führ' ich die gute alte Rigor Mortis aus. Das ist doch die größte Veranstaltung des Jahres!»

Ich war überrascht.

«Wirklich? Ich dachte, das ist eine streng temperenzlerische Angelegenheit?»

«Ist sie auch. Du bildest dir doch nicht ein, die Oberin lasse zu, daß Schnaps den keuschen Boden der Zuflucht der Jungfrauen besudelt? Es geht da so trocken zu wie beim Geburtstag eines Bischofs. Das hat zur Folge, daß jedermann sich vorher eine hinreichende alkoholische Unterlage schafft, um die Nacht durchzuhalten, und das zieht wiederum einige interessante Vorfälle nach sich.»

Am Abend der Tanzerei verbrachten Benskin und ich eine Stunde intensiven Zechens beim Padre, bevor wir zum Schwesternheim hinübergingen, um unsere Partnerinnen abzuholen. Benskin hatte sogleich ein paar Sensationen parat. «Es zeugt nicht von gutem Ton, wißt ihr, wenn man zu früh kommt», erklärte er den Mädeln. «Die Leute glauben sonst, ihr wollt die ganzen Wurstrollen allein aufessen.» Wir gingen zu viert in den «König Georg» zurück, der nunmehr voll junger Burschen und Mädchen in Abendkleidung war, die einem Abend der Langweile vorbeugen wollten. Wir ließen uns in einer Ecke der Trinkstube nieder. Nach einer kleinen Weile begann Miss Footte mich bereits verschleierten Blickes anzusehen und meinen Nacken zu streicheln; ich bemerkte sogar, daß Rigor Mortis, die offenbar bezüglich des Zwischenfalls in unserer Bude an Gedächtnisschwund litt, leicht angeregt war.

Als ich das erste Mal auf die Uhr sah, war es zehn vorbei.

«Es wird spät», sagte ich. «Sollten wir nicht lieber gehn?»

«Vielleicht. Wo steckt der Padre?» Benskin lehnte sich über die Theke. «Padre! Wie wär's mit einer Kleinigkeit für die Hüfttasche?» Er reichte ihm über die Bar hinweg eine silbrig glänzende Feldflasche hin. «Es liegt noch ein weiter Weg vor uns.»

«Gewiß, Sir! Wie steht's mit Ihnen, Mr. Gordon? Wenn ich Ihnen, Sir, aus dem Schatz meiner Erfahrungen heraus raten darf...»

«Ich möchte eine Flasche Gin haben», sagte ich. «Können Sie sie mir bis Neujahr ankreiden?»

«Natürlich, Mr. Gordon! Sie bekommen doch Ihr Taschengeld vierteljährlich, nicht wahr? Soviel Sie wollen, Sir.»

Arm in Arm gingen wir singend zum Schwesternheim.

Im sonst so nüchternen Speisesaal rieselten Papierketten herunter, und eine aus fünf Mann bestehende Kapelle war in einer Ecke auf einer Estrade untergebracht, die mit Goldpapierstreifen umwunden war. Da gab es einen Weihnachtsbaum, ein auf Böcken improvisiertes Buffet, Papierschlangen, Lampions, und was eine ehrbare Lustbarkeit sonst noch an standardisierten Attrappen zu bieten hat. Gegenüber der Musikkapelle thronte den ganzen Abend hindurch die Oberin, voll uniformiert, auf einer Bühne. Neben ihr befanden sich, ebenfalls in Uniform, die drei Aufsichtsschwestern des Heims. Hinter diesen saßen fünf oder sechs ältere Schwestern in einer Reihe; kleine Tische mit belegten Brötchen und Wurstrollen trennten sie von der übrigen Masse. Sie bildeten eine Jury, die ständig unausgesprochene Urteile fällte. Nahezu nichts entging ihnen. Wenn ein Mädel mit zu vielen oder zu wenigen Burschen tanzte, wurde ihr das bis ans Ende ihrer Ausbildung vorgehalten, und wenn eine in einem schulterfreien Kleid erschien, so galt das soviel, als wäre das Wort «Dirne» auf ihren Schlüsselbeinen eintätowiert gewesen.

Als wir eintrafen, gab es gerade eine Tanzpause. Wir drängten uns zum Buffet vor.

«Schaut euch das an!» sagte Benskin angeekelt und wies auf eine Reihe Glaskrüge. «Limonade!»

Er griff über den Tisch und holte sich ein halbvolles Gefäß.

«Ich denke, wir sollten das ein bißchen steifer machen», fuhr er fort, indem er einen verschmitzten Blick über seine Schulter auf die Bühne warf. «Halt den Krug, Alter, während ich meine Feldflasche herausziehe.»

Er kippte den darin befindlichen Whisky in das Getränk, und ich fügte die Hälfte meines Gins hinzu.

«Das geht schon eher an», meinte Benskin befriedigt und verrührte die Mischung mit einem Limonadelöffel. «Das zaubert garantiert Röslein auf die Wangen. Ein Schlückchen nur — und fade Augenblicke gibt's nicht mehr.»

Während er noch umrührte, erschien Mike Kelly mit einer der Operationsschwestern am Tisch.

«Hast du was dagegen, wenn ich mithalte, Tony?» fragte er. «Ich hab' ein bißchen Rum in meiner Tasche.»

«Gieß ihn nur dazu!» lud Benskin ihn ein. «Nichts kann eine

Unterhaltung so in Schwung bringen wie ein Limonadecocktail. Ist schon recht, schütte nur das Ganze hinein. Du hast uns sowieso nicht sehr viel übriggelassen.»

«Mehr als eine halbe Flasche!» rief Kelly entrüstet. «Das ist alles, was ich habe.»

«Hab keine Angst», sagte Benskin, heftig rührend. «Ich kenne noch geheime Aufbewahrungsorte. Nun also! Kosten wir das satanische Gebräu.»

Er goß ein bißchen davon in sechs Gläser, und wir nippten, einigermaßen von bösen Ahnungen erfüllt.

«Stark ist es», gab Benskin würgend zu. «Komischer Geschmack, was? War dieser Rum in Ordnung, Mike? Ist dir nicht am Ende ein Fusel angedreht worden?»

«Natürlich war er in Ordnung. Ich hab' ihn vom Padre bekommen.»

«Na, dann muß es die Limonade sein. Prost allerseits!»

Wir hatten den Krug fast leergetrunken, als sich Harris zu unserer Gruppe durchboxte.

«Ihr Schweinehunde!» rief er bitterböse aus. «Ihr habt meinen verwünschten Limonadekrug gestohlen! Da war von mir noch eine halbe Flasche Sherry und etwas Pfefferminzlikör drin!»

Sehr genau kann ich mir die Tanzerei nicht mehr ins Gedächtnis zurückrufen. Vereinzelte Zwischenfälle zuckten wohl am nächsten Tag durch mein Hirn, wie Fragmente eines Traums. Ich erinnere mich nur an zwei Herren, die mit ihren Partnerinnen einen altmodischen Walzer tanzten, wobei sie ihre Frackschwänze zusammenbanden und den Boden mit zerbrochenen Gläsern und dem Großteil des Inhalts von zwei Ginflaschen bedeckten; an andere, die die Hitze übermannt hatte und die an die frische Luft gebracht werden mußten; an Schwester Footte, die so laut in meinen Armen lachte, daß ich ihr Zäpfchen hinten im Hals wackeln sah, und an mein Entsetzen darüber. Alle Studenten waren betrunken, und die Oberin, der dergleichen Erscheinungen fremd waren, strahlte und glaubte, daß sie den hochgemuten jungen Leuten einen großen Abend bereitet hatte. Als sie sich jedoch am nächsten Morgen in demokratischer Weise am Reinigen der Halle beteiligte, fand sie zu ihrem Entsetzen hundertdreißig leere Schnapsflaschen in den Palmenkübeln, hinter den Vorhängen, in den Sofasitzen und auf den Rahmen der Bildnisse ihrer Vorgängerinnen abgelegt.

Der Tanzabend der Schwestern bezeichnete das Ende der Weihnachtsfestlichkeiten zu St. Swithin. Jedermann wußte, daß am nächsten Morgen wieder die Arbeit in den Operationssälen aufgenommen werden würde, daß neue Patienten eingeliefert, Vorlesungen beginnen und die Studenten wieder mit ihren Chefärzten in den kahlen und trübseligen Krankensälen die Runde machen würden. Aber in dieser Nacht war noch immer Weihnachten, und das Spital wimmelte von marodierenden Studenten, die in den Küchen über die Nachtschwestern herfielen, während diese Kakao kochten. Und die lieben Mädchen schrien nur leise (um die Patienten nicht zu wecken), bevor sie sich den Armen der Studenten willig auslieferten. Schließlich mußte man doch ein paar Kompensationen dafür haben — dafür, daß man eine Krankenschwester war.

12

VON NEUJAHR AN BEGANN ICH IM SPITALSAMBULATORIUM ZU ARBEITEN. Es war mein erster Kontakt mit der harten chirurgischen Alltagspraxis des allgemeinen Arztes. In den Krankensälen wurden die Patienten den Doktoren gewaschen, gekämmt, entkleidet und in frischem Bettzeug präsentiert; ins Ambulatorium jedoch kamen sie direkt von der Straße, und die Untersuchung wurde durch die Kleidung und die Verlegenheit des Patienten, manchmal auch durch die Ratschläge eines auf seine Würde bedachten Begleiters erschwert.

Diese Abteilung war die geschäftigste des ganzen Spitals. In ihrem Mittelpunkt lag eine große, grellgrün ausgemalte Halle, die lediglich mit den bunten Plakaten des Ministeriums für Volksgesundheit geschmückt war; diese warnten die Bevölkerung eindringlich, öffentlich auszuspucken, sich der Impfung ihrer Babys zu widersetzen, Gemüse in zuviel Wasser zu kochen und sich der freien Liebe zu ergeben. Von der Halle ging es nach allen Richtungen zu den Kliniken, deren Errichtung man für notwendig befunden hatte, um all die verschiedentlichen Leiden, die da täglich zu den Türen hereingeschneit kamen, zu behandeln. Da gab es große Räume für die internen und für die chirurgischen Fälle, die gynäkologische Abteilung und die Klinik für Schwangere, die Klinik für Ohren-, Hals- und Nasenleiden, die Klinik für Frakturen und ein Dutzend andere. Die Abteilung für Geschlechtskrankheiten erreichte man durch einen diskreten und unbezeich-

neten Zugang von der Straße aus; in einer Ecke lagen nebeneinander die Kliniken für Unfruchtbarkeit und für Geburtenkon-
trolle; und in einer anderen befanden sich die schattigen Beicht-
stühle der Psychiater.

Die eine Seite der Halle entlang lief ein Tisch, hinter dem vier
oder fünf Mädchen in weißen Arbeitskitteln die Krankenkarten
aus ihren Karteien nahmen und den Patienten reichten; sie taten
das mit einem sorgsam zur Schau getragenen Ekel und der arg-
wöhnischen Miene eines Zollbeamten, der Pässe zurückstellt. In
der Mitte der Halle befanden sich Telephone, um dringende An-
rufe zu tätigen, und vor der Türe jeder einzelnen Klinik standen
Reihen von Holzbänken, die zum Sitzen ebenso freundlich einlu-
den wie Panzerfallen.

Die Leitung des Ambulatoriums lag hauptsächlich in den Händen der Spitalspförtner. Diese bildeten eine Körperschaft, ohne
deren unschätzbare Dienste die Spitalsarbeit zu einem unmittelbaren Stillstand verurteilt gewesen wäre. Sie waren Experten
für alle jene gewöhnlichen Aufgaben, die die Fähigkeiten der
Ärzte bei weitem überschritten: sie wiesen die Patienten in die
richtigen Abteilungen, bändigten Betrunkene, legten Zwangs-
jacken an, verständigten taktvoll die Polizei, warfen unerwünschte
Verwandte hinaus und verschafften Tee zu den unmöglichsten
Stunden. Sie standen in ihren rot-blauen Uniformen da und in-
spizierten mit der Abgebrühtheit und Geriebenheit des Cockneys
die Menschheit, die tagaus tagein in langen Reihen an ihren Nasen vorüberzog.

Sobald ein Patient das Gebäude betrat, stieß er auf einen Portier — einen dicken Mann, der hinter einem hohen Pult saß wie
der Sergeant in der Wachstube einer Polizeistation.

«Wo fehlt's, Kamerad?» wollte der Portier gewöhnlich wissen.

Daraufhin pflegte der Patient seine hauptsächlichsten Krank-
heitssymptome hervorzustottern, wurde jedoch von einem kurzen
«Auf die Chirurgische!» oder «Kehlkopfabteilung!» oder dem
Namen der sonst zutreffenden Klinik unterbrochen. Die Pförtner
waren die besten Diagnostiker des Spitals. Sie teilten unfehlbar
die Fälle in interne und chirurgische ein, so daß die Patienten vor
die richtigen Spezialisten kamen. Hätte sich ein Portier geirrt und,
zum Beispiel, einen Fall von Bronchitis der chirurgischen Abteilung zugewiesen, so wären die Komplikationen, die daraus ent-
standen, und die Schicksalsschläge, die über den Patienten hereingebrochen wären, unabsehbar gewesen.

Nachdem der Patient den Portier passiert hatte, suchte er den Tisch auf, um seine Krankengeschichte zusammenstellen zu lassen. St. Swithin führte genau Buch über seine Besucher, und so mancher Inwohner des Bezirks war bereits durch ein ordentliches grünes Bändchen repräsentiert, das die ärztlichen Eintragungen anläßlich seiner Geburt, einen Bericht über die Entfernung seiner Mandeln, eine Schilderung seiner Leistenbruch-Operation, einen Überblick über das Ansteigen seines Blutdrucks und, anschließend an sein letztes Leiden, das ihn hinwegraffte, das Ergebnis seiner Obduktion enthielt. Die Krankengeschichte in der Hand, stellte der Patient sich am Ende der Schlange an, die sich vor der Türe der betreffenden Klinik häuslich niedergelassen hatte. Die Schlange wälzte sich, sooft eine streng dreinblickende Schwester die einzelnen Patienten aufrief, auf der Holzbank weiter: diese Bewegung ging so langsam und spasmodisch vor sich wie das Kriechen einer schläfrigen Boa.

Die erste halbe Stunde pflegte der Patient sich damit zu vergnügen, daß er sich sorgfältig durch die vertraulichen Eintragungen seines Büchleins hindurchlas und im Geiste das, was die Ärzte über ihn geschrieben, mit dem verglich, was sie ihm ins Gesicht gesagt hatten. Nach einer Weile wurde er dessen müde und las die Morgenzeitung. Wenn er auch diese erschöpft hatte, verbrachte er den Rest der Wartezeit mit einem klinischen Geplauder mit seinen Nachbarn. Dies bedeutete den reizvollsten Teil des Besuches und ein Vergnügen, das er sich bewußt aufgespart hatte.

Voll Stolz gab man die Schilderung seiner Leiden vor den Banknachbarn zum besten: man trug seine Symptome wie eine Reihe von Kriegsmedaillen zur Schau.

«Wo fehlt's bei dir, Mensch?» begann der Patient den Mann, der ihm zunächst saß, zu fragen.

«Am Herz», war die mit lusterfüllter Düsternis gewürzte Antwort.

«Sonst nix?»

«Is das nicht genug, vielleicht?» gab der Nachbar scharf zurück. «Und bei dir?»

«Der Doktor sagt, ich bin ein wandelndes pathologisches Museum.» Der Patient rollte entzückt die Silben über seine Zunge.

«Aber geh!»

«Ich hab' Diabetes mellitus, Hämorrhoiden, normocytische Anämie, chronische Bronchitis, ein Emphysem, eine Hammerzehe, Cholecystitis und eine Überfunktion der Schilddrüse.»

«Das ist wirklich ein ganzer Haufen», gab der Nachbar brummend zu.

«Und ich hab' ihn sagen hören, einen positiven Wassermann hab' ich auch noch!» fügte der Patient triumphierend hinzu.

«Sind Sie schon einmal operiert worden?» forschte eine magere Frau auf seiner anderen Seite mit einer Stimme, die in Jammer schwelgte.

«Bis jetzt noch nicht, unberufen.»

Das Weib stieß einen lauten Seufzer aus.

«Ich wollt', ich könnt' das von mir sagen», bemerkte sie, traurig ihren Kopf schüttelnd.

«Wie viele ham Sie denn gehabt, Frau?» fragte der Patient, voll Furcht, seinen Rekord gebrochen zu sehen.

«Fünfzehn!» sagte sie im Tonfall sublimsten Märtyrertums.

«Uj! Bin ich aber froh, daß ich nicht Ihr Leiden hab'!»

«Das is es ja! Sie wissen nicht, was mit mir los is. Letztes Mal ham sie meinen Grimmdarm herausgenommen. Der Doktor hat gesagt, das war der ärgste, den sie je im Spital gehabt ham. Viereinhalb Stunden ham sie dazu gebraucht. Dann ham sie aber doch ein Stück davon drin lassen müssen. Ich bin froh, daß ich noch hier sitz', das können Sie mir glauben.»

«Muß nicht angenehm gewesen sein», sagte der Patient, voll Ehrfurcht gegenüber solch üppig wuchernder Pathologie.

«Angenehm! Viermal wär' ich fast draufgegangen!»

«Wer behandelt Sie denn, Frau?»

«Mr. Cambridge. Ein so ein lieber Mann! Er hat so sanfte Hände!»

Ich entdeckte noch eine andere Eigentümlichkeit der Ambulatoriumspraxis. In den Krankensälen sind alle Patienten krank: im Ambulatorium sind fast alle gesund. Männer und Frauen mit organischen Leiden stellten nur einen kleinen Bruchteil der Hunderte dar, die jeden Tag ihren Weg am dicken Portier vorüber nahmen. Die meisten von ihnen klagten über vage Schmerzen, mit denen sie mehrere Monate hindurch zu ihren Hausärzten gewandert waren, und diese hatten sich nicht anders zu helfen gewußt, als sie mit einem Zettel ins St. Swithin zu weisen. Das war nur ein Exempel einer altehrwürdigen ärztlichen Methode, «Patientenschieben» benannt, die auch innerhalb St. Swithin selbst überaus eifrig angewandt wurde.

Der häufigste Umstand, der die Leute ins Ambulatorium führte, war Kopfweh; es war noch ein wenig beliebter als Fußschmer-

zen, Schwindelanfälle, Rheumatismus und Schlaflosigkeit («Hab'
seit vierzig Jahren kein Auge zugetan, Herr Doktor!»). Die meisten der Symptome standen, hätten sie wirklich existiert, in offen-
kundigem Widerspruch zu der Tatsache, daß der betreffende Patient noch lebte; aber es mußte doch jeder genau untersucht werden, falls etwas Ernstes dahintersteckte. Das ergab nun einen
ausgezeichneten Anlaß zum Patientenschieben. Ein hartnäckiger
Kopfwehfall konnte mit ein paar Federstrichen in die Augenab-
teilung überwiesen werden. Der Anstaltsarzt brauchte auf den
Krankenschein nur «Kopfschmerzen. Augenerscheinungen?» zu
kritzeln, und der Patient wurde in eine andere Schlange vor der
Türe eines anderen Doktors abgeschoben. Nachdem die Augenab-
teilung nichts gefunden hatte und es müde geworden war, den
Burschen Woche für Woche auftauchen zu sehen, schickte sie ihn
in die Kehlkopfklinik. Die Laryngologen pflegten ihre sämtlichen
Patienten zu operieren und entfernten gewöhnlich deren Mandeln
oder die Innenseite der Mandelnische; beklagte sich der Mann
weiterhin über Kopfschmerzen, verfrachteten sie ihn in die allgemeine chirurgische Abteilung mit dem Tip, sein Leiden könne das
Resultat einer Sepsis sein, die von der Gallenblase, der Niere oder
sonst einem Organ stamme, das angenehmerweise außerhalb ihres Aktionsfeldes lag. Die Chirurgen operierten den Patienten,
oder auch nicht, das kam auf die Länge ihrer jeweiligen Warte-
liste an; was immer auch geschah, nach ein paar weiteren Vor-
sprachen im Ambulatorium sah sich der Patient in der Dentalab-
teilung, wo ihm seine sämtlichen Zähne gerissen wurden; diese
expedierte ihn in die Physiotherapie, falls seine Kopfschmerzen
— welche andauerten — einer Entartung seiner Halsmuskulatur
zugeschrieben werden konnten. Von der physiotherapeutischen
Abteilung wandte sich der Patient der letzten Zuflucht, den Psy-
chiatern, zu, und da diese keine Möglichkeit mehr hatten, ihn
noch jemand anderem zuzuschanzen, sprach er wahrscheinlich von
da an dauernd bei ihnen vor, um mit ihnen für den Rest seines
Lebens einmal wöchentlich über sein Kopfweh zu plaudern.
   Während meiner Arbeitsperiode im Ambulatorium ließ die Spitalsleitung in der Halle eine Bar mit Tee und Gebäck errichten,
um die Unannehmlichkeiten einer langen Wartezeit zu mildern.
Die regelmäßigen Patienten waren entzückt und bekundeten ihr
Wohlgefallen dadurch, daß sie so viele Nachmittage als nur irgend
möglich mit ihren Leidensgenossen bei den medizinischen Teege-
sellschaften zubrachten.

«Die Zeiten haben sich geändert», bemerkte einer der alten Portiers düster, als er ein Mädchen am neuen Buffettisch Tassen mit Tee austeilen sah. «In den alten Tagen hat's solchen Unsinn nicht gegeben. Das nenn' ich Verweichlichung!»

Sehnsuchtsvoll gedachte er der Zeiten vor vierzig Jahren. Damals mußten die Patienten jeden Morgen schon um acht Uhr im Hause sein und auf den Bänken sitzen. Dann wurden die Türen geschlossen, und wer später kam, dem blieb nichts übrig, als bis zum nächsten Tag zu warten. Der konsultierende Arzt kam um neun und ging in Begleitung eines älteren Dieners in sein Zimmer. Wenn sich der Doktor auf seinem Sessel niedergelassen hatte, ging der Diener zur Tür und rief: «Los! Alle mit Husten aufstehen!» Ein Häuflein Patienten erhob sich und schlurfte ins Zimmer hinein. Nachdem sie untersucht worden waren, erschien der Diener von neuem und kommandierte: «Magenschmerzen, Diarrhöe und Blähungen!» Die Besitzer dieser Verdauungsbeschwerden defilierten am Doktor vorbei, während der Diener die chronischen Fälle unter seine Fittiche versammelte, die nur um eine neue Flasche Medizin gekommen waren. Die Patienten waren mit diesem System ganz einverstanden, und es wurde erst dann aufgehoben, als einer der Internisten nach einem starken Vormittag, der durch zahlreiche Brustleidenfälle bemerkenswert gewesen war, auf seinem Weg in die Harley Street vor dem Spital einen Stand entdeckte, in dem «Echter St.-Swithin-Hustensaft» feilgeboten wurde. Diesen kaufte der Standinhaber den Patienten um zwei Pence ab und gab ihn um sechs Pence an die Öffentlichkeit weiter.

Jeder von uns verbrachte zwei Tage wöchentlich im Unfallzimmer, wo ich endlich das Gefühl hatte, ein wenig Heilkunde zu erlernen, indem ich daraufkam, wie ich einen Verband anzulegen hatte, ohne ihn auf den Boden fallen zu lassen, wie ich Schnittwunden zu vernähen, Fremdkörper aus den Augen zu entfernen und Gipsverbände herzustellen hatte. Zwei von uns mußten jeweils einmal wöchentlich in einer kleinen Koje beim Eingang zum Unfallszimmer schlafen, um die leichteren Fälle von Verletzungen zu betreuen, die in endloser Folge während der Nacht einliefen. Dieses System sollte um ein Haar Benskins Untergang bedeuten. Auf seinen Wanderungen durch das schlafende Spital war er einer Nachtschwester begegnet und von dieser so bezaubert worden, daß er den ganzen Tag wie ein Gespenst mit rotumrandeten Augen herumlief, weil er ihr den Großteil der Nacht Gesellschaft leistete.

Die Umstände in einem nächtlichen Krankensaal wirken aner-
kanntermaßen als leichte Aphrodisiaka. Die Schwester sitzt einsam an einem Ende des langgestreckten Raums, der sich allseits
in Schatten verliert und nur durch eine einzige rotbeschirmte
Lampe auf dem vor ihr stehenden Pult beleuchtet wird. Das sanfte, warme Licht macht sie so begehrenswert wie einen reifen Pfir-
sich. Am Pult gibt's nicht viel Platz, daher müssen Student und
Schwester eng nebeneinander sitzen. Um die Patienten nicht auf-
zuwecken, müssen sie sich im Flüsterton unterhalten, was jeder
Bemerkung einen intimen Charakter verleiht. In einer Welt des
Schlafes sind sie die einzigen Wachenden und streben zueinander
mit dem prickelnden Gefühl, von den anderen abgesondert zu
sein.

Die Pflegerin braut dem Studenten einen Milchtrank aus den
Nachtrationen der Patienten. Es ist überraschend, was unter diesen Umständen bei ein paar Bechern Horlicks alles passieren kann.
Ihre Knie berühren einander unter dem Pult; ihre Hände stoßen
in einer absichtlichen Karambole zusammen; ihre Finger ver-
schlingen sich ineinander und schwitzen in der Handfläche des
andern so lange, bis die Nachtschwester ihre Runde antreten muß.
Der Student träufelt sanfte Liebesbeteuerungen über das Mädchen wie Sirup über einen Pudding, wenngleich seine Technik bis-
weilen dadurch gestört wird, daß eine rauhe Stimme vom nächsten Bett die zärtliche Hingabe an den Liebeszauber durch die
Forderung unterbricht: «Kann ich bitte die Leibschüssel kriegen,
Schwester?»

Benskins Romanze hätte ein harmloses Ende gefunden, wäre
ihm nicht in der letzten Nacht unserer Lehrzeit ein Lapsus unter-
laufen. Wir hatten zusammen Dienst, und um das Ende unserer
Tätigkeit in der Unfallabteilung zu feiern, hatten wir die dienst-
tuende Schwester überredet, unsere Arbeit zu übernehmen, und
verbrachten den Abend im «König Georg». Zur Sperrstunde
stürzte Benskin zu seiner Nachtschwester, während ich ins Bett fiel.

Kurz nach drei wurde ich wachgerüttelt. Automatisch griff ich
nach meinen Hosen, in der Einbildung, der Portier verlange meine Dienste im Unfallszimmer: es war jedoch Benskin. Er war in
einem bejammernswerten Zustand.

«Alter!» rief er in dringlichem Ton. «Du mußt mir helfen! Es
ist was Entsetzliches passiert!»

Ich bemühte mich, meine Gedanken auf die Katastrophe zu
konzentrieren.

«Was ist los?» fragte ich schläfrig.

«Du kennst doch dieses Mädel im Krankensaal — die Molly. Erinner dich — auf die ich so geflogen bin?»

«Umm.»

«Also ... hör zu, Alter, schlaf um Gottes willen nicht wieder ein! Heut nacht machte ich wie gewöhnlich einen Sprung zu ihr, und mir ging der Mund ein bißchen über mit Lenz und mit Liebe, weil ich so voll Bier war ...»

«Pfui Teufel.»

«... und, bei Gott, bevor ich wußte, was ich tat, hab' ich dem verwünschten Weibsbild einen Heiratsantrag gemacht!»

Ich versuchte den Schlaf und den Alkohol wie eine beißende Seifenlauge aus meinen Augen zu reiben.

«Hat sie ihn angenommen?» fragte ich gähnend.

«Angenommen! Sie sagte ‹O ja, bitte!›, soviel ich mich erinnern kann. Erfaßt du nicht, was vorgefallen ist? Kannst du nicht den Ernst der Situation kapieren?»

«Vielleicht hat sie's morgen früh vergessen», schlug ich hoffnungsvoll vor.

«Nicht um ihr Leben! Du kennst diese Weiber nicht — schon beim Frühstück der Nachtschwestern wird's losgehn: ‹Was glaubt ihr, Mädels! Tony Benskin hat mir endlich einen Heiratsantrag gemacht, im Mai halten wir Hochzeit!› O Gott, o Gott, o Gott!» Er griff sich an den Kopf. «Um neun Uhr weiß es das ganze Spital.»

«Ich entnehme all dem, daß du nicht darauf versessen bist, die Dame zu heiraten?»

«Ich! Heiraten! Kannst du dir das vorstellen?» rief er aus.

Ich nickte verständnisvoll und stützte mich auf den Ellbogen.

«Diese Sache muß man sich durch den Kopf gehen lassen.»

«Recht hast du!»

«Sicher kannst du etwas dagegen unternehmen ... Kannst du nicht zu ihr zurückgehn und ihr erklären, daß alles nur Spaß war?»

Benskin stieß ein verächtliches Lachen hervor.

«Versuch du das einmal!» sagte er.

«Ich verstehe. Heikle Sache. Laß uns einmal ruhig nachdenken.»

Nach ungefähr zwanzig Minuten hatte ich eine Idee. Ich unterzog sie selbst einer eingehenden Kritik — aber sie hielt stand.

«Ich glaub', ich hab' die Lösung», sagte ich und erklärte sie ihm.

Er sprang auf die Beine, schüttelte mir herzlich die Hand und eilte in den Saal zurück.

Die Lösung war ganz einfach. Ich hatte Benskin ausgeschickt, jeder Nachtschwester des Spitals einen Heiratsantrag zu machen.

13

DIE ZEIGER DER UHR IM HÖRSAAL KROCHEN AUF ZEHN MINUTEN NACH vier zu: der Pathologieprofessor hatte wieder einmal seine Zeit überschritten.

Es war ein trüber, bedeckter Nachmittag anfangs April. Das Licht der Lampen wurde von der braunen Politur der Wandtäfelung als mattgelbe Tümpel zurückgeworfen. Die knapp unter der Decke angebrachten Fenster waren wie gewöhnlich festgeschlossen und es herrschte eine betäubende Atmosphäre. Die Studenten, die die unbequemen aufsteigenden Bänke füllten, waren schläfrig; sie ärgerten sich darüber, daß sie aufgehalten wurden, und sehnten sich nach ihrem Tee.

Der Professor wußte nichts vom Vorrücken der Zeit, von der Atmosphäre des Saals und vom Drang nach Essen und Trinken. Ein mageres weißhaariges Männchen mit riesiger Brille, stand er hinter seinem Vortragspult und sprach begeistert über eine wenig bekannte Abart von Läusen. Der Professor lebte ausschließlich für Läuse. Seit dreißig Jahren füllten sie des Tags seine Gedanken aus und überfluteten des Nachts seine Träume. Er hatte während dieser Zeit geheiratet und fünf Kinder in die Welt gesetzt, aber dieser Vorfälle war er sich nur dunkel bewußt. Im Vordergrunde seines Denkens standen die Läuse. Er verbrachte seine Zeit damit, sich in seinem eigenen kleinen Laboratorium im obersten Stockwerk des Spitals vollkommen in das Studium ihrer Lebensgewohnheiten zu vertiefen. Mit seinen Studenten kam er selten in einen näheren Kontakt. Den Unterricht überließ er seinen Assistenten und war im übrigen der Ansicht, sein Teil dadurch beizutragen, daß er gelegentlich durch das Laboratorium der Studenten mit der nachdenklichen Miene jemandes wanderte, dessen Frau eine Menge ihm unbekannter Leute zu einer Gesellschaft eingeladen hat. Er bestand jedoch darauf, jedem Jahrgang eine Reihe von Vorlesungen auf seinem Spezialgebiet zu geben. Er war die größte Läuse-Autorität der ganzen Welt, und wenn er in Melbourne, Chicago, Oslo oder Bombay vor anderen Pathologen Vorträge hielt, reisten die Leute durch einen halben Kontinent, um ihn zu hören. Die Studenten jedoch, die sich nur von den Sofas im Gemeinschaftsraum zu erheben brauchten, kamen ungnädig und undankbar herbei und fanden sie reichlich langweilig.

Als nun der Vortragende mit seinem monotonen Gebrumm das unverhältnismäßig komplizierte Geschlechtsleben einer obskuren Läuseart schilderte, warfen die Studenten einen finsteren Blick auf die Uhr, scharrten mit den Füßen, gähnten laut, falteten die Hefte zusammen, legten die Federn weg und lümmelten auf den Plätzen. Einige begannen mit ihren Nachbarn zu plaudern oder die Pfeifen anzuzünden und die Abendzeitung so gemütlich zu lesen, als säßen sie in ihrer eigenen Bude. Aus der letzten Reihe erscholl das dumpfe Stampfen von Füßen auf dem Boden — das einzige Mittel, wodurch sich Studenten an ihren Vortragenden rächen können. Aber der Professor hatte nunmehr die Anwesenheit seiner Zuhörer vergessen, und wenn wir alle in die frische Luft gegangen wären oder den Hörsaal in Brand gesteckt hätten, würde er es kaum bemerkt haben.

Ich saß mit Tony Benskin und Sprogget in der letzten Reihe. Tony setzte sich stets so weit entfernt als möglich, denn manche Professoren hatten die peinliche Gewohnheit, an Studenten, die träumerisch zur Decke starrten, Fragen zu richten; jedenfalls so weit entfernt, daß er den Anschein überwältigender Konzentration erwecken konnte, selbst wenn er eingeschlafen war. Diese Platzwahl war auch dafür günstig, unauffällig zu verschwinden, wenn der Vortrag unerträglich langweilig wurde. Die Anwesenheit bei den Vorlesungen zu St. Swithin war Pflicht, und in den Bänken zirkulierte eine Tafel, auf der sich jeder Student zum Nachweis seiner Gegenwart unterzeichnen mußte. Das führte dazu, daß sich jedermann in der medizinischen Schule zum gewiegten Unterschriftenfälscher entwickelte, damit die Abwesenheit eines Freundes leicht berichtigt werden konnte. Diese selbstlose Praxis nahm an Umfang ab, nachdem der Dean einmal bei einer seiner eigenen Vorlesungen die Studenten gezählt und herausgefunden hatte, daß nicht nur einige dreißig Mann durch ungefähr neunzig Unterschriften repräsentiert wurden, sondern daß auch ein paar der Abwesenden sich in ihrer Begeisterung vergeßlicherweise auf verschiedenen Stellen der Tafel vierfach verewigt hatten.

Der Professor war mir schon seit einiger Zeit beträchtlich vorausgeeilt. Ich putzte meine Nägel und schickte meine Gedanken auf die Wanderschaft, wozu das eintönige Gemurmel des Vortragenden eine angenehme Begleitung bildete. Leider Gottes stolperten sie auf ihrer Wanderung über ein Thema, das ich lieber gemieden hätte.

«Hör mal, Tony», fragte ich leise. «Kannst du mir vielleicht drei bis vier Pfund borgen?»

Benskin lachte — so laut, daß die Hörer in den drei Bankreihen vor ihm sich umdrehten.

«Das hab' ich mir so vorgestellt», sagte ich. «Trotzdem — ich bin in einer verdammten Klemme. Jetzt, wo wir den Path-Lehrgang begonnen haben, brauche ich mein Mikroskop zurück. Solang wir in den Sälen arbeiteten, war es ganz in Ordnung, daß es in Goldsteins Schaufenster Quartier bezog, aber wenn ich es nicht bald krieg', kann ich nicht an den praktischen Übungen teilnehmen.»

«Mein herzlichstes Beileid», erwiderte Benskin. «Du kannst meines Mitgefühls sicher sein. Mein eigenes Gerät ist derzeit in den Kisten von Mister Goldsteins Konkurrenten weiter unten in der Straße verwahrt, und ich sehe überhaupt keine Möglichkeit, es aus den Klauen besagter Herren zurückzuerobern. Die alten Goldtruhen sind leer. Seit Wochen muß ich vor der Bank warten, bis der Direktor lunchen geht, bevor ich einen Scheck einwechsle.»

Mein Mikroskop hatte sich als ein einfaches Mittel bewährt, Bargeld aufzutreiben; ich konnte es ohne Unannehmlichkeiten verpfänden, wenn ich abgebrannt war, und es einlösen, sobald mein Taschengeld einlangte. Aber in letzter Zeit hatte ich derart über die Schnur gehaut, daß dieses einfache System zusammengebrochen war. Seit meinem Eintritt in St. Swithin hatten meine Lebensgewohnheiten recht kostspielige Formen angenommen, wohingegen mein Taschengeld genau das gleiche geblieben war. Vorher rauchte ich nur wenig, trank kaum und ging nie mit Mädeln aus; nun tat ich alles gleichzeitig.

«Das Komische an der Sache, Alter, ist», sagte Benskin, nachdem der Professor die erzieherischen Qualitäten der Läuse erschöpft hatte, «daß ich gerade daran dachte, dich um ein Pfund oder dergleichen zur Ader zu lassen. Mein Lebensstandard ist momentan äußerst hoch. Besteht bei dir nicht vielleicht doch die Möglichkeit einer kleinen Anleihe?»

«Ausgeschlossen.»

«Also muß ich auf Umwegen dazu gelangen. Es hat doch sicher einer der Studenten ein paar Shillinge in der Tasche herumklimpern?»

«Du könntest es bei Grimsdyke versuchen», schlug ich vor. «Der hat gewöhnlich was für seine Freunde übrig.»

Benskin runzelte die Brauen. «Seit er verheiratet ist, nicht mehr, mein Alter. Das Frauchen grollt, wenn die Moneten dem Haushalt entzogen werden und in die Taschen alter Säufer abwandern. Nein, da ist nichts mehr zu holen — es bleibt mir nichts anderes übrig, als wieder einmal Geschirr zu zerschlagen.»

Jeder von uns litt immer wieder an Insolvenzanfällen, und jeder verfügte über ein bevorzugtes Mittel, um so viel Geld aufzutreiben, daß er seine Schulden bezahlen konnte. Nächtliches Tellerwaschen war die populärste Art, kleine Beträge zu erlangen; da es nicht mit den Studienzeiten zusammenfiel, konnte man es unauffällig betreiben, und die großen Londoner Hotels und Restaurants zahlten für ein paar Stunden im Abwaschraum verhältnismäßig viel. Sproggetts Spezialität war es, sich als Baby-Sitter zu verdingen, und John Bottle brachte gelegentlich vom Toto oder von einem Walzerwettbewerb in einem Tanzlokal ein paar Pfunde nach Hause. Aber Benskin überzog meist seine Einkünfte derart, daß er sich eine besser fundierte Beschäftigung suchen mußte. Als er wieder einmal einer schweren Attacke von Abgebranntheit ausgeliefert war, erschien er eines Nachmittags in seinem besten blauen Kammgarnanzug, mit glänzend gewichsten Schuhen, ordentlich gebürstetem Haar, ein weißes Schmucktuch flott in der Brusttasche und eine einfache Schirmmütze in der Hand, im Gemeinschaftsraum.

«Was hast du vor, um Himmels willen?» fragte Grimsdyke. «Spielst du Autobusschaffner?»

Benskin strahlte ihn an.

«Keineswegs, alter Junge. Ich hab' für ein paar Wochen einen Job bekommen. Das hab' ich mir verdammt schlau eingefädelt.»

«Einen Job? Was für einen Job? Wahrscheinlich noch mehr Geschirrwaschen?»

«Privatchauffeur», erzählte Benskin stolz. «Noch dazu in einem Rolls. Laßt euch berichten, wie sich das zugetragen hat. Als ich heut früh im Ambulatorium war, erschien ein Bursche mit dem scheußlichsten Magengeschwür, das ich je gesehen hab'. Er mußte natürlich sofort die Arbeit einstellen, und als er mir erzählte, daß er Chauffeur bei einem alten Kauz mit Koffern voll Geld war, der Marmelade oder so etwas Ähnliches erzeugt, sah ich eine Möglichkeit, meiner verdammten Kasse ein bißchen auf die Beine zu helfen. Habt ihr's erfaßt? Ich machte mich flott auf den

Weg zum Haus des Alten in Hampstead und überbrachte ihm die Schreckensnachricht höchstpersönlich — noch dazu in äußerst eindrucksvoller Form. Danach erklärte ich ihm in wenigen Worten die Situation und bot ihm meine bescheidenen Dienste an, um die Lücke in seinem Haushalt auszufüllen. Zufälligerweise sollten der alte Bursche und seine Holde gerade morgen eine vierzehntägige Urlaubsreise nach Schottland antreten, die infolge des Geschwürs des Chauffeurs ins Wasser gefallen wäre, hätte ich mich nicht als würdigen Ersatz angeboten. Das hatte ich natürlich alles aus dem Patienten herausgequetscht, ließ aber davon nichts verlauten und erweckte den Eindruck, daß ich mich einzig und allein von meinem mir so ans Herz gewachsenen Studium losreißen würde, damit das alte Pärchen nicht um seinen netten Erholungsurlaub käme. Er scheint ein ganz anständiger Kerl zu sein und war wegen seines Chauffeurs sehr aufgeregt, hat aber vom Autolenken nicht mehr Ahnung als vom Führen einer Lokomotive. Also wurde mein Angebot dankbar akzeptiert.»

«Hast du einen Führerschein?» fragte ich ihn.

«Selbstverständlich», erwiderte er verletzt. «Seit fast einem Monat.»

Benskin verschwand am nächsten Morgen. Nach vier Tagen tauchte er wieder im Spital auf. Er hatte seine Mütze verloren, sein bester Anzug war zerrissen und mit Ölflecken besät, einer seiner Schuhe war aufgetrennt, und abgebrannt war er noch immer.

«Na?» fragte ich.

«Die Sache hat einen Haken gehabt», erwiderte er bekümmert. «Begonnen hat alles gut. Der alte Marmeladeonkel war ein großer Anbeter des geruhsamen Lebens, und wir zockelten gemächlich nach Doncaster ab. Ich wurde im Dienerquartier des dortigen Wirtshauses untergebracht, allwo ich ein verteufelt nettes kleines Ding unter den Stubenmädchen antraf — doch davon später. Am nächsten Tag fuhr ich in vorbildlicher Form nach Newcastle, wobei ich erkennen konnte, daß das alte Pärchen ein mächtiges Vertrauen in unseren Benskin setzte, den sie als einen nüchternen und gewissenhaften Autolenker ansahen.»

«Was geschah nach Newcastle?» fragte Grimsdyke resigniert.

«Da begann es faul zu werden. Die ganze verdammte Strecke hatte ich ohne einen einzigen Schluck zurückgelegt, weil ich London total blank verließ. In Newcastle ging ich den alten Knaben um ein Pfund an, und als wir zur Lunchzeit vor einer vorsintflutlichen Kneipe am Straßenrand hielten, türmte ich nach hinten und goß ein paar Maß hinter die Binde. Das wäre ganz in Ordnung gegangen, aber der Alte entschloß sich zu einem kleinen Streifzug, um sich die Gegend anzusehn, und ließ mich bei den Leuten im Dienerzimmer, oder was das schon war, zurück. Da lernte ich einen riesig amüsanten Typ kennen — einen irischen Portier, der seinerzeit damit begonnen hatte, am Trinity Theologie zu studieren. Wir hatten uns eine Menge zu erzählen — wobei wir natürlich die ganze Zeit das Bier nicht vergaßen. Um zirka vier Uhr machte ich mich mit meinen Kunden wieder auf den Weg, muß aber zu meinem Bedauern gestehen, daß ich nur ein paar hundert Meter weit kam. Dann kippte ich die Kiste in einen Graben. Ich selber hab' mich glücklicherweise nicht verletzt, aber die beiden Alten liegen im ländlichen Spital des Ortes mit je einem Oberschenkelbruch darnieder.»

Er fügte noch hinzu, daß er keine großen Aussichten habe, wieder engagiert zu werden.

Um in den Besitz meines Mikroskops zurückzugelangen, wusch ich ein paar Nächte lang mit Tony Benskin Geschirr in einem West-End-Hotel und verkaufte einige Lehrbücher. Danach war ich wieder richtig froh, ins akademische Leben zurückzukehren, Benskin jedoch war darauf versessen, seine Geldreserven durch einen Versuch in einem anderen Metier zu vermehren.

«Hast du diese Anzeige schon gesehn?» fragte er mich eifrig, als wir im Morgengrauen das Hotel durch die Personaltüre verließen. «‹Hilfskellner werden aufgenommen. Anfragen beim Oberkellner.› Das wäre was, glaubst du nicht?»

«Nein», erwiderte ich. «Ich gedenke jetzt ein paar Nächte in meinem Bett zu verbringen. Außerdem verstehe ich nichts vom Servieren. Du übrigens auch nicht.»

Benskin fegte diese Einwände mit einer großzügigen Geste beiseite.

«Da ist doch nichts dabei, Alter. Eine Portion Fisch kann jeder Mensch auftragen. Das ist gutes Geld für nichts, kann ich dir sagen! Und die Trinkgelder! In einem solchen Nobellokal schieben die Gäste keine Dreipennystücke unter den Teller, wenn sie ihren letzten Brandy durch die Gurgel gejagt und den Kaviar von ihren Lippen gewischt haben. Ich bin genug oft von Kellnern bedient worden, um auf ihre Technik draufzukommen — wenn du ein fettes Trinkgeld willst, brauchst du die Suppe bloß mit einem Ausdruck hochmütigen Ekels zu servieren.»

«Du glaubst, daß du hochmütig dreinblicken kannst, was?»

«Man ist schließlich ein Gentleman», erwiderte Benskin steif. «Ich geh' noch einmal zurück und werde ein Wörtchen mit dem Oberkellner reden.»

«Und ich gehe nach Hause schlafen. Bedenke, daß wir in fünf Stunden bei einer Vorlesung erscheinen müssen.»

«Nun gut. Wir sehen uns später.»

Ich war gerade im Begriff, einzuschlummern, als Benskin in unserer Bude in Bayswater auftauchte. Er jubelte.

«Ein Fischzug, mein Junge!» rief er. «Ich hab' mit dem Oberkellner gesprochen — ein widerlicher Bursche übrigens. Dennoch sagte er sich nach dem ersten Blick auf mich: ‹Benskin ist der Mann, den ich suche! Der wird das Niveau im Speisesaal heben!›»

«Also hast du den Job bekommen?»

«Ich beginne heute abend. Hab' grade noch Zeit, aus dem Spital zu schlüpfen, meinen Frack hervorzuholen und als der perfekte Kellner mit dem Tellerwärmer in Erscheinung zu treten.»

«Hoffentlich weiß man im Hotel, daß du vom Servieren keine Ahnung hast?»

«Nein — eigentlich nicht. Ich sah keinen Grund, mir selber Hindernisse in den Weg zu legen, so ließ ich sie glauben, daß ich schon in einigen größeren Vororte-Ausspeisereien und in der Sommersaison an der Küste serviert hab'. Sie scheinen augenblicklich an Tellerschleuderern ziemlich knapp zu sein, denn sie nahmen mich aufs bloße Wort hin.»

«Nun gut», sagte ich und drehte mich um. «Vergiß nicht, eine schwarze Binde zu tragen.»

Als ich am Abend nach meiner Arbeit nach Hause kam, fand ich Benskin in einem Stadium höchster Erregung vor.

«Muß noch alte Suppe und Fisch herausputzen», sagte er und holte seinen verbeulten Blechkoffer vom Schrank herunter. «Ich hab' nachmittag eine Flasche Äther aus dem Operationssaal mitgehen lassen, damit ich die Flecke wegkrieg'.»

Benskins Schwalbenschwanz war von seinem Vater für ihn erstanden worden, als er sechzehn Jahre zählte. Seither hatte der Gute nach sämtlichen Dimensionen hin bedeutend an Umfang zugenommen. Wir plagten uns alle mächtig, mit Hilfe von John Botles Reisebügeleisen die Falten zu glätten, während Benskin heftig an den Aufschlägen rieb, um die Fettflecke zu entfernen.

«Ich muß bei Tisch schon ein richtiges Ferkel gewesen sein», bemerkte er nachdenklich.

«Hier unten haben ein paar Motten Kostprobe gehalten», sagte ich, auf die Hosen deutend.

«Das macht nichts», erwiderte Benskin verdrossen. «Schließlich bin ich ja nur ein verdammter schäbiger Kellner.»

Er legte den Frack an. Wenn er die Hosenträger so weit herunterließ, als er es überhaupt verantworten konnte, bedeckten die Hosen gerade noch die obere Partie seiner Knöchel; die Träger selbst, die übrigens rot-gelb gestreift waren, blieben nur dann hinter seinen Rockaufschlägen unsichtbar, wenn er sich daran erinnerte, nicht zu tief zu atmen. Die Ärmel reichten bis zur Mitte des Unterarms, und die Knöpfe am Hosenbund mußten durch Sicherheitsnadeln Verstärkung erhalten. Aber das Hemd stellte ein offenbar unlösbares Problem dar. Es war zu eng, und die Knopflöcher waren eingerissen: selbst das seichteste Atmen bewirkte ein Herausspringen der Frackknöpfe und entblößte einen breiten Streifen rosiger und behaarter verschwitzter Männerbrust.

«Genug, um den Gästen das Essen zu vergrausen», bemerkte John Bottle.

Wir versuchten größere Knöpfe und Büroklammern zu applizieren, aber sobald Benskin wieder einmal zu atmen wünschte, war das Hemd untragbar. Sogar Leukoplaststreifen unterhalb des steifen Brusteinsatzes erwiesen sich als nicht stark genug, dem Druck seines Atemholens standzuhalten. Eine halbe Stunde arbeiteten wir im Schweiße unseres Angesichts daran, die irritierende Lücke zu schließen; währenddessen weichte sich der Brusteinsatz unter unseren Fingern auf.

«Du lieber Himmel!» rief Benskin erbittert aus. «Können wir denn gar nichts dagegen unternehmen? Schaut auf die Uhr! Wenn ich nicht in zwanzig Minuten dort bin, bin ich geliefert. Es kann mir doch sicher einer von euch Burschen ein Hemd borgen?»

«Was! In deiner Größe?» fragte Bottle.

«Warum hab' ich, zum Teufel, nicht daran gedacht, mir ein Vorhemd zu kaufen!»

Ich hatte eine Idee.

«Laßt uns doch die obersten Prinzipien der Chirurgie anwenden», sagte ich.

«Hol dich der Teufel, was hast du jetzt wieder vor?»

«Nehmen wir an, jemand leidet nach einem operativen Eingriff an einer Spannung der Haut. Was wirst du tun? Nun, du wirst natürlich einen Gegenschnitt vornehmen, an einer Stelle, wo er nichts schadet. Zieh den Rock aus, Tony.»

Ein schneller Schnitt mit der Schere den Hemdrücken hinauf,
vom Zipfel bis zum Kragen, und Benskin war wieder einmal
der perfekte englische Gentleman. Hochgemut verließ er die Bude, fest überzeugt, daß er an diesem Abend genug verdienen würde, um seinen Alkoholbedarf vierzehn Tage lang zu decken. Unglücklicherweise erwies er sich im Servieren heißer Suppe nicht
geschickter als im Lenken eines Autos und wurde zwischen dem
Fisch und der Vorspeise vom wutentbrannten Maître d'hotel hinausgeworfen.

14

«A. L. E.», SAGTE ICH. «ALS LEICHE EINGELIEFERT. WELCH EIN EPI-
taph!»
Ich stand in der kalten, hellen Leichenkammer im obersten
Stockwerk des Spitals. Es war ein großer Raum mit einem Glas-
dach, gekachelten Wänden und drei wuchtigen Porzellantischen;
an der einen Seite befand sich eine Wand mit numerierten metallenen Schubfächern; sie sah wie ein riesiger Registraturschrank
aus. Die bedauernswerten Opfer wurden vom munter blickenden
Burschen auf der Rollbahre in einen Speziallift geschafft, zum
Dach hinauf expediert und ordentlich in die eisgekühlten Schub-
fächer verpackt. Jede Leiche trug ein Schildchen mit Namen, Religion und Diagnose; aber der Mann auf dem Tisch vor mir hatte
nur die drei Buchstaben angehängt. Er war vor ein paar Stunden
von der Polizei auf der Straße aufgelesen und vergebens ins Unfallzimmer eingeliefert worden.
Ich zog meine dicken Gummihandschuhe fest und begann das
große Obduktionsmesser anzusetzen. Ich habe Leichenöffnungen
nie gerne vorgenommen. Mir wurde übel dabei. Aber die Bestim-
mungen der medizinischen Schule erforderten deren drei, und so
mußte ich mich dieser Arbeit unterziehen.
Die Internisten und Chirurgen kamen jeden Vormittag um zwölf
Uhr herauf, um sich vom gefühllosen Pathologen jene Fälle, denen ein Erfolg versagt war, demonstrieren zu lassen. Oft hatten
sie noch zu Lebzeiten des Patienten die richtige Diagnose gestellt
und hatten nun die Genugtuung, mit ihren Fingern die erkrankte
Stelle befühlen zu können, die sie sich bereits auf Grund der Untersuchung der Körperoberfläche, der Deduktion und des Studiums
der schwarzen und grauen Schatten auf den Röntgenbildern zu-
rechtgelegt hatten. Gelegentlich aber wurden sie auch beschämt.

«So war es also schließlich doch ein Kopftumor!» hörte ich einmal Dr. Malcolm Maxworth mit rotem Kopf ausrufen. «Verdammt noch einmal!»

Maxworth erboste sich nicht aus Mitgefühl für den toten Patienten: einfach nur deswegen, weil aus dem täglichen Kampf zwischen seinem Verstand und den Tücken des Organismus wieder einmal der Organismus als Sieger hervorgegangen war.

Unsere Nachmittage verbrachten wir damit, im verstaubten pathologischen Museum umherzuwandern und die grotesken Präparate in den großen Spiritusgläsern zu betrachten. Im Museum zu St. Swithin besaßen sie alles, von doppelköpfigen Babys angefangen bis zu Tätowierungen. Jedes Stück war sauber etikettiert und numeriert, und die Krankengeschichte des Falls hing, auf einem Kärtchen aufgezeichnet, an der Flasche. «Um wieviel besser ist das als ein Grabstein!» sagte Grimsdyke, als er das letzte dramatische Leiden John O'Haras im Jahre 1927 herunterlas und die Überreste seines aufgebrochenen Aneurysmas in der Hand hielt. «Ich glaube, jedermann hat doch den Wunsch, daß man sich seiner erinnert. Was gibt es Besseres, als ein Stück von sich den Pathologen zu hinterlassen? Niemand weiß oder schert sich darum, wo das Grab dieses Burschen liegt, aber die Erinnerung an ihn wird hier fast täglich aufgefrischt. Ein riesiges Aneurysma! Möchte wetten, daß es eine Panik im Saal gab, als es aufbrach.»

Zweimal wöchentlich während des Pathologie-Trimesters hatten wir Vorlesungen in forensischer Medizin. Dies war ein Gegenstand, der mich faszinierte, denn ich war ein pflichteifriger Leser von Kriminalromanen und von der Vorstellung entzückt, daß ich von nun an wissen würde, wie man menschliches Blut von tierischem unterscheidet, Schußwunden identifiziert und Mord und Selbstmord auseinanderhält. Der Vortragende war ein wohlbeleibter, heiterer Mann, der ziemlich regelmäßig in den Sonntagsblättern abgebildet war, wie er die Schauplätze aller reizvolleren Verbrechen inspizierte. Wir wurden von ihm in den beliebtesten Methoden, Selbstmord, Abtreibungen, Totschlag und Notzucht zu tätigen, unterwiesen: seine Vorlesung über das letztgenannte Thema, bei der Diapositive vorgeführt wurden, ist meiner Erinnerung nach die einzige, bei der ich keinen Platz bekommen konnte.

Nach dem Pathologie-Trimester begannen wir in den Spezialabteilungen die Runde zu machen; in jeder verbrachten wir einige Wochen. Zuerst schickte man mich aus, um mich ein bißchen in der Augenheilkunde umzutun, dann ging ich zu den Laryngologen, wo ich in Ohren, Nasen und Hals schauen lernte. Diese Klinik war von frühmorgens bis spätnachts, nachdem alle anderen schon lang geschlossen hatten, in Hochbetrieb, denn die Londoner Luft besaß die Eigenschaft, die Schädelhöhlen zu verstopfen und die Lungen aufzurauhen. «Dieses Zeug ist wirklich nicht herunterzubringen», sagte der Chirurg und wies mit seinem Arm zum Fenster. «Ich lebe Gott sei Dank auf dem Land.» Er war ein großer, robuster, überarbeiteter Mann, der sich immerhin aus den Schädigungen, die die Londoner Luft den Atmungsorganen zufügte, ein Vermögen erworben hatte. Er war weit und breit als der schnellste Entferner von Mandeln und Adenoidvegetationen bekannt; jeden Donnerstagnachmittag nahm er diese Operationen im Ambulatorium vor, wobei er reihenweise die anästhetisierten Kinder mit der Fixigkeit eines Chicagoer Schweineschlächters erledigte.

Ich war froh, nach der Laryngologie in der geruhsamen Atmosphäre der Klinik für Haut- und Geschlechtskrankheiten unterzutauchen. Diese wurde von zwei sehr alten und sehr vornehmen Spezialisten geleitet, die miteinander, mit den Studenten, den Pflegerinnen und den Patienten nur im Flüsterton sprachen. Beide trugen äußerst förmliche und teure Anzüge und beide fuhren mit Chauffeur in einem Rolls vor dem Spital vor. Ich war bei Dermatologen auf eine derart üppige Lebensführung und saturierte Ruhe nicht gefaßt gewesen, aber nach einigem Nachdenken leuchtete mir es ein, warum das Spezialistentum in Hautkrankheiten so überaus erfreulich war. Es sind ruhige und undramatische Übel, die einen nie dazu zwingen, mitten in der Nacht aufzustehen oder eine Mahlzeit zu unterbrechen. Die Patienten sterben einem dabei nie, andererseits geht es ihnen aber auch offenbar nie besser. Ein Privatpatient ist daher, sobald einmal seine Diagnose feststeht, für den Arzt bis zu seinem späten Lebensende eine regelmäßige Einnahmsquelle.

Ich wohnte mit Benskin und Bottle noch immer in unserer Bude in Bayswater. Archie Broome und Mike Kelly hatten promoviert und waren weggezogen, und Sprogget und Evans waren zu uns übergesiedelt.

Eines Abends lehnte sich Bottle nach dem Essen in seinem Stuhl zurück und fragte: «Was sollen wir heut abend unternehmen? Hat jemand von euch Lust, ins Kino zu gehn?»

«Da ist nichts los», erklärte Tony gelangweilt. «Wir könnten etwas später einen heben gehn.»

«Ich muß einen Roman fertiglesen», sagte Evans. «Der muß am sechzehnten in die Leihbibliothek zurück. Der wievielte ist heute, John?»

Bottle nahm den Kalender vom Kaminsims herunter. «Der vierzehnte», sagte er. Dann runzelte er die Brauen. «Hört mal, Jungens, habt ihr schon erfaßt, daß in genau fünf Wochen unsere Abschlußprüfungen sind?»

«Was?» Benskin sprang von seinem Sitz auf. «Das ist doch ausgeschlossen! Die sind doch erst Ende Oktober!»

«Nun, und jetzt haben wir Mitte September.»

«Gütiger Gott!» rief Sprogget nervös. «Wir müssen mit der Arbeit beginnen!»

Bottle legte den Kalender wieder zurück.

«Ich fürchte, du hast recht. Seit wir aus den Anatomiesälen heraus sind, hab' ich kaum in ein Buch geschaut. Wir haben eine verdammt schöne Zeit gehabt, und jetzt müssen wir dafür büßen.»

Benskin, der dafür war, Unangenehmes schnell hinter sich zu bringen, nahm sofort ein Exemplar von Prices «Medizinische Praxis» vom Regal herunter und wischte den Staub auf dem Einband mit seinem Ärmel weg.

«Zumindest haben wir jetzt ein fixes Abendprogramm», sagte er. «Von jetzt an heißt es mitternächtlich unser Öllämpchen zu entzünden. Großer Gott! Das alles ist ausschließlich über Tuberkulose?»

Die folgenden Abende fegte über uns ein Sturm heißen Eifers dahin. Wir klaubten unsere staubigen Bücher vom Fußboden, von den Stühlen und von den hintersten Winkeln der Schränke zusammen und ließen sie aufgeschlagen auf dem Tisch liegen. Sobald wir von unserer Spitalsarbeit zurückgekehrt waren, machten wir uns ans Lesen. Wir aßen Käsebrote, wann wir Lust hatten, und schluckten Koffein- und Benzedrintabletten, um uns wachzuhalten. Wir büffelten bis nach Mitternacht, oft bis vier Uhr früh, und bemühten uns, das Studium dreier Jahre in fünfunddreißig Nächte hineinzupfropfen.

Jeder von uns bevorzugte eine bestimmte Haltung für seine Konzentration. Ich fand, daß ich am besten lernen konnte, wenn ich auf einem harten Sessel saß, die Ellbogen auf den Tisch gestützt; Benskin war es offenbar nur dann möglich, sich mit Genuß in die Wissenschaften zu versenken, wenn er Kragen, Krawatte, Schuhe, Gürtel und Socken ablegte und seine enormen rosigen Füße aufs Kaminsims legen konnte. Bottle zog es vor, mit seinem Lehrbuch allein in den Toiletteraum zu verschwinden, und Sprogget pflegte nervös im schmalen Vorzimmer auf und ab zu schreiten, wobei er die Anzeichen und Symptome unzähliger Krankheiten vor sich hin murmelte und in einer grotesken Weise kicherte, wenn sie ihm nicht einfielen. Nur Evans verbrachte das Vorbereitungsstadium der Prüfungen in Gelassenheit. Sein Hirn war derart leistungsfähig, daß ihm nicht mehr zu tun nötig schien, als in einem Lehnstuhl zu lungern und seine Lehrbücher so ruhig durchzulesen, als wären sie die Sonntagsblätter.

Ungefähr eine Stunde lang pflegten wir stillschweigend zu arbeiten, wobei wir das Zimmer mit Tabakrauch erfüllten. Aber es war ein zum Zerreißen gespanntes Schweigen — es glich der Haut eines aufgeblasenen Luftballons. Benskin brach es gewöhnlich als erster.

«Wie ist, zum Teufel, Digitalis zu dosieren?» fragte er eines Abends ergrimmt.

«Drei Dosen, alle acht Stunden, zu sechs Gran, dann zwei Tage lang dreimal täglich drei Gran, und zwei Tage die halbe Dosis viermal täglich», erwiderte ich wie aus der Pistole geschossen.

«Das ist sicher nicht richtig», sagte er. «Es ist sowas Ähnliches wie zwei Gran täglich.»

«Natürlich ist es richtig!» bellte ich ihn an. «Ich hab's doch grade gelernt!»

«Richard hat recht», sprach Evans ruhig aus seinem Sessel heraus.

«Gut, gut! Ihr müßt ja nicht gleich in die Luft gehn! Ich bin jedenfalls noch nicht bis zum Digitalis vorgedrungen.»

Sproggets Kopf erschien in der Tür.

«Ist ein präsystolisches Geräusch am Apex kennzeichnend für Mitralstenose?» fragte er ängstlich.

«Ja», antwortete Evans.

«Verdammt nochmal! Das hab' ich mir nicht gedacht.» Er sah aus, als würde er jeden Augenblick in Tränen ausbrechen. «Ich fall' bestimmt durch, ich weiß es!» rief er aus.

«Bei dir wird alles in Ordnung gehn», sagte Bottle schroff. «Nur nervöse Typen wie ich fallen durch. Kriegt man bei Pneumonie Cyanose?»

Nur an einem einzigen Abend der Woche machten wir eine Ausnahme: am Samstag gingen wir aus und betranken uns. Die übrige Zeit waren wir gegeneinander reizbar gestimmt, unmitteilsam und nervös. Benskins sonst so sonniger Humor schien ihn für immer verlassen zu haben. Er war mürrisch zu seinen Studiengenossen, beklagte sich über alles in der Bude und wies regelrecht die Symptome eines Magengeschwürs auf.

Die Periode erbitterten Studiums und Benskins schlechter Laune wurde vor der Prüfung nur durch einen einzigen heiteren Zwischenfall aufgehellt. In einer Samstagnacht verschwand der berühmte Helm aus dem «König Georg». Niemand wußte, wer ihn weggenommen hatte, und niemand hatte ihn verschwinden sehen: er hing einfach auf einmal im Laufe des Abends nicht mehr an seinem Haken. Dieser Diebstahl versetzte Benskin in Wut, vor allem, weil er Gründe hatte, die Studenten vom Bart's zu verdächtigen, die die St.-Swithin-Mannschaft Anfang des Jahres in einem Rugby-Match der Spitäler tüchtig aufs Haupt geschlagen hatte. In der folgenden Nacht wanderte er nach Smithfield und kletterte über die ehrwürdigen Mauern dieser altersgrauen Anstalt. Den Helm fand er nicht, aber er durchstieß ein Fenster mit seinem Fuß und wurde vom Portier aufgefordert, draußen zu bleiben. Sein Raubzug kam dem Dean von St. Swithin zu Ohren, der ihn in sein Büro rief, ihn zehn Minuten lang gehörig auszankte und ihn mit drei Guineen Geldstrafe belegte. Der Dean konnte Benskins Verteidigungsrede, daß der Verlust des Helms eine derart durchgreifende Handlung rechtfertige, absolut kein Verständnis entgegenbringen. Ob dies alles in irgendeiner Verbindung mit dem Ereignis stand, das kurz darauf eintrat und in der Tradition des Spitals für immer unter dem Titel «Die Cocktail-Party des Deans» weiterlebte, wurde nie bekannt. Benskin stand in Verdacht, und es lief das Gerücht um, daß er beim Verlassen einer kleinen Druckerei in der City bemerkt worden war: aber bewiesen wurde nie etwas.

Als der Dean einige Tage nach seiner Auseinandersetzung mit Benskin sein Büro betrat, sah er seine Privatsekretärin emsig in seinem Schreibtisch herumkramen.

«Hallo!» sagte er. «Haben Sie etwas verloren?»

«Das nicht, Sir», erwiderte sie und blickte ihn bedrückt an. «Ich wundere mich nur, wieso es kommt, daß ich keine Einladungen gesehen habe?»

«Einladungen? Was für Einladungen?»

«Zu Ihrem morgigen Empfang», antwortete sie schlicht. «Den ganzen Morgen läutet schon das Telephon. Die Deans der anderen Londoner Spitäler haben erklärt, daß das Schreiben ein bißchen kurz gefaßt ist, daß sie aber mit Vergnügen auf einen Cocktail in Ihre Bibliothek kommen würden. Dann haben sich auch noch ein paar Persönlichkeiten vom Medizinischen Forschungsinstitut und ein Professor aus Birmingham gemeldet.» Sie blickte auf die mit Bleistift gekritzelte Liste in ihrer Hand. «Bis jetzt haben ungefähr dreißig Personen zugesagt, und es sieht so aus, als wäre eine ganze Menge weiterer Zusagen mit der zweiten Post eingetroffen.»

Der Dean schmiß seinen Hut auf den Boden.

«Das ist eine Frechheit!» rief er wütend. «Das ist eine Gemeinheit! Das ist eine ...! Bei Gott, diese verdammten Studenten! Bei Gott, das werde ich denen heimzahlen! Warten Sie nur, Sie werden schon sehen!» Er fuhr mit seinem bebenden Zeigefinger so heftig auf sie los, daß sie mit einem leise quiekenden Schrei zurücksprang.

«Sie glauben — daß Ihnen ein Streich gespielt wurde?» fragte sie schüchtern.

«Natürlich ist das ein Streich! Das haben diese verdammten Lümmel auf dem Gewissen, für deren Erziehungsversuche wir die besten Jahre unseres Lebens vergeudet haben! Schicken Sie mir den Schulsekretär her! Und den Professor von der Internen! Rufen Sie den Hauptportier! Telephonieren Sie all diesen Leuten, daß die ganze Sache ein abscheulicher Streich ist!»

«Was, allen Leuten?»

«Natürlich, Weib! Glauben Sie, ich lasse mich vor Ihnen von meinen eigenen Studenten zum Narren machen? Los, rufen Sie sie sofort an!»

In diesem Augenblick klingelte neuerlich das Telephon. Sie nahm den Hörer auf.

«Hallo ...», sagte sie. «Ja, er ist jetzt anwesend. Gewiß. Einen Moment, bitte.»

Sie wandte sich zum Dean um. «Der Sekretär des Lord-Mayor», erklärte sie. «Er sagt, der Lord-Mayor nimmt mit Vergnügen an.»

Der Dean ließ sich wie ein knock-out geschlagener Boxer in seinen Lehnstuhl fallen.

«Gut», grollte er. «Gut. Ich weiß, wann ich besiegt bin. Geben Sie mir also die Liste der Lebensmittellieferanten.»

Die Party wurde ein Riesenerfolg. Obgleich der Dean die Bibliothek grün vor Angst betrat, fand er sich doch bald inmitten so vieler hervorragender Zeitgenossen, daß er sich rasch beruhigte. Nahm ihn nicht der führende Herzspezialist des Landes am Arm und erklärte ihm, wie sehr er seine letzte Abhandlung schätze? Machte nicht der Lord-Mayor höchstpersönlich eine Anspielung auf eine Schenkung zugunsten der neuen Bibliothek, und sagte er sich nicht, was noch wichtiger war, für einen Besuch in der Harley Street an? Außerdem hatte der Dean schnell dafür Sorge getragen, daß die Kosten der Party von der Spitalsleitung bezahlt wurden. Er rief den letzten Gästen ein heiteres Lebewohl zu, als sie im Hof in ihre Autos stiegen. Da erblickte er plötzlich Benskin, der ihn, die Hände in den Hosentaschen, aus dem Schatten von Lord Larrymores Standbild heraus angrinste. Der Dean verzog gehässig sein Gesicht.

«Ist Ihnen etwas darüber bekannt, Sie verfluchter Kerl?» wollte er wissen.

«Mir, Sir?» fragte Benskin unschuldig. «Durchaus nicht, Sir. Ich glaub', es wird wohl jemand vom Bart's gewesen sein.»

15

Die schlussprüfungen bedeuten für den medizinstudenten so etwas Ähnliches wie der Tod: eine peinliche und unausweichliche Angelegenheit, der man früher oder später ins Auge blicken muß und bei der die künftige Situation des Betroffenen von der Sorgfalt abhängt, mit der er sich auf das Ereignis vorbereitet hat.

Die Prüfungen des Komitees der vereinigten Spitäler wurden zweimal jährlich in einem großen, düsteren Gebäude in der Nähe der Harley Street abgehalten. Es umschloß mit zwei Wirtshäusern, einem rußigen vergitterten Garten, einem Antiquitätenladen und dem Büro eines Vereins zur Hebung gefallener Frauen einen versteckten Platz in Marylebone. Während des größten Teils des Jahres stellt dieser Platz einen ruhigen und wenig besuchten Durchgangsort dar; der Hauptverkehr auf ihm wird von den Kunden der Wirtshäuser, bekehrten Frauen und einem unglücklich dreinblickenden Mann in Sandalen gebildet, der seit dem Jahre 1931 jeden Morgen um neun Uhr mit einer roten Fahne dort vorübergeht, auf der die Worte TUE BUSSE, DENN MORGEN BIST DU TOT stehen. Alle sechs Monate jedoch wird diese Ordnung und Ruhe zersprengt wie eine Straße von einem Preßluftbohrer. Drei- bis vierhundert Studenten aus jedem Londoner Spital und aus der medizinischen Schule des Vereinigten Königreichs treten auf den Plan. Jedes Land, das eine britische ärztliche Qualifikation anerkennt, ist hier vertreten. Da gibt es braune bebrillte Inder, die unweigerlich bis zur letzten Minute Sir Leatherby Tidys dicke und unschätzbare «Synopsis der Medizin» durchpauken; jettschwarze Gentlemen aus

129

Westafrika, die in nervösen Gruppen versammelt sind und ihre neuen Füllfedern ausprobieren; fette kaffeefarbene Ägypter, die in ihrer Muttersprache über spitzfindige Fragen der Gelehrten-Medizin diskutieren; Naturburschen aus Australien, Neuseeland und Südafrika, die vor der Prüfung ebensowenig Angst zeigen wie vor dem Betreten eines Wirtshauses; alle diese sind gründlich mit einem Gesindel blasser, recht mittelmäßig und unordentlich aussehender britischer Studenten untermischt, die in sämtlichen Akzenten, die es zwischen den walisischen Tälern und Stirlingshire gibt, miteinander reden.

Eine Prüfung ist nichts anderes als ein Forschen nach jemandes Kenntnissen, durchgeführt in einer Art, die die Autoritäten als die für beide Teile günstigste und zweckdienlichste ansehen. Der Mediziner kann die Sache jedoch nicht in diesem Licht erblicken. Prüfungen rufen seinen sportlichen Geist wach; sie sind regelrechte Wettkämpfe zwischen ihm und den Professoren, die von beiden Parteien nach wohl ausgearbeiteten Statuten ausgetragen werden, und er tritt sie mit den Gefühlen eines Preisboxers an.

Richtiger Schwindel wird bei den medizinischen Prüfungen selten angewandt, aber die Kandidaten widmen doch den technischen Einzelheiten des Kampfes fast ebensoviel Zeit wie dem Studium ihrer Lehrbücher. Wir fanden die Fragebogen der letzten zehn Jahre in der Spitalsbibliothek vor und gingen selbfünft sorgfältig die einzelnen Punkte durch.

«Es hat keinen Sinn, Zeit auf das Lernen von Pneumonie, infantiler Diarrhöe oder Appendicitis zu vergeuden», sagte Benskin. «Die wurden alle letztesmal geprüft. Ich glaub' auch nicht, daß es dafürsteht, die Tbc zu studieren; die ist in den vergangenen drei Jahren zweimal vorgekommen.»

Wir waren uns alle einig, daß es unnötig war, uns mit irgendwelchen Kenntnissen in den ernsteren Krankheiten zu beschweren, die uns am häufigsten in unserer Praxis unterkommen würden.

«Ich will euch sagen, *was* wir uns anschauen sollen», sagte Evans. «Die Torulosis.»

«Nie gehört», meinte Benskin.

«Sie ist auch ziemlich selten. Aber ich sehe, daß diesmal der alte Macready-Jones prüft, und sie ist seine Spezialität. Er hat eine Menge darüber im *B.M.J.* und in der *Lancet* zusammengeschmiert. Er könnte ganz leicht so eine Frage anbringen.»

«Gut», sagte ich. «Ich werd' sie morgen in der Bibliothek nachschlagen.»

Ich hatte nur geringe Aussichten, nach meiner Graduierung je einem Fall von Torulosis zu begegnen, und wenn ja, hätte ich ihn nicht erkannt. Aber eine eingehende Information über die Torulosis innerhalb der nächsten vierzehn Tage konnte über Bestehen oder Nichtbestehen der Prüfung entscheiden.

Benskin entdeckte, daß Malcolm Maxworth der Vertreter St. Swithins bei der Prüfungskommission war; deshalb schlossen wir uns allen seinen Runden durch die Krankensäle an, standen in der ersten Reihe und starrten ihn so verzückt an wie empfindsame Musikenthusiasten einen Violinsolisten. Der leiseste Wink, den man von ihm vernommen zu haben glaubte, wurde weitergegeben, ausgeschmückt und verarbeitet. Mittlerweile strichen wir verzagt die Tage am Kalender ab, büffelten die in Betracht kommenden Fragen durch und rasten in einem atemlosen Schlußlauf die schon ausgetretenen Pfade der Medizin hinunter, wobei wir rechts und links büschelweise so viele Kenntnisse abrauften, als wir konnten.

Die Prüfungen zerfallen in drei Abschnitte, deren jeder einzelne bestanden werden muß. Zuerst gibt es die schriftliche, dann die mündliche und schließlich die klinische Prüfung, bei der der Student mit einem Patienten konfrontiert wird und binnen einer halben Stunde eine zutreffende Diagnose stellen muß.

Am Morgen, da die Prüfung begann, verließen wir fünf frühzeitig unsere Bude in Bayswater, fuhren mit dem Bus bis zur Oxford Street und bewegten uns in einer schweigenden, knieschlotternden Reihe auf das Prüfungsgebäude zu. Mir erschien die Schriftliche stets als der schlimmste Teil des Treffens. Sie beginnt um neun Uhr, zu einer Stunde, da ich nie in Hochform bin, und der Anblick anderer in Massen auftretender Kandidaten hat etwas überaus Niederschmetterndes. Sie sehen alle so intelligent aus. Sie tragen Brillen und benützen schwere Füllfedern, deren dicke Griffe ihre geistige Kapazität widerspiegeln; sitzen sie einmal drinnen, schreiben sie fortlaufend in derart seriöser Konzentration, als verfaßten sie Leitartikel für die kommende Nummer der *Lancet;* und gar die weiblichen Studenten bieten einen Anblick dermaßen intensiven Fleißes, daß es den männlichen sinnlos erscheinen muß, weiterzuarbeiten.

Ich ging mit hundert anderen Studenten in einen der drei großen quadratischen Räume, die für das Examen benützt wurden. Der gewichste Parkettboden war mit derart weit voneinander aufgestellten Schreibpulten bedeckt, daß die Schrift des Nachbars nicht zu entziffern war, hätte er sie nicht, was gewöhnlich der Fall war, schon von Haus aus unleserlich gemacht. Jedes Pult war mit einer Karte versehen, auf der schwarz gedruckt die Prüfungsnummer stand, mit einem sauberen viereckigen Stück rosafarbenen Löschpapiers und mit einer Feder, die offenbar in zweiter Hand von einem Postamt erstanden worden war. Der Raum roch nach Bodenpaste und frisch gespitzten Bleistiften.

Ein einziges Aufsichtsorgan saß, in Talar und Überwurf, auf einer erhöhten Estrade, um ein wachsames Auge darauf zu halten, daß niemand schwindle. Zwei bis drei uniformierte Diener unterstützten ihn in dieser Bestrebung; sie standen an den Türen und starrten so leidenschaftslos auf die armen Opfer herab wie die Polizisten, die die Anklagebank im Old Bailey flankieren. Die Studenten krochen zu ihren Stühlen, warfen einen feindseligen Blick auf die Uhr und wandten sich ängstlich den bräunlichen Fragebogen zu, die bereits auf jedem Pult bereitlagen.

Der erste Bogen befaßte sich mit Allgemeinem. Die obere Hälfte des Blattes enthielt fettgedruckte Instruktionen, die dem Kandidaten anbefahlen, das Papier nur auf einer Seite zu beschreiben, sämtliche Fragen zu beantworten und vom Abschreiben Abstand zu nehmen, widrigenfalls er sich der Gefahr aussetze, hinausgeworfen zu werden. Dann wandte ich meine Augen leiderfüllt den darunterstehenden vier Fragen zu. Ich sah auf den ersten Blick, daß sie alle kurz und gemein waren.

Geben Sie einen Bericht über die Anzeichen, Symptome und Behandlungsarten von Herzleiden war die erste. Verteufelt reichhaltig, dachte ich. Dann las ich die zweite und fluchte. *Beschreiben Sie den Wandel in der Behandlung von Pneumonie seit dem Jahre 1930.* Ich empfand es als einen gemeinen Trick, daß die Professoren zwei Jahre hintereinander dasselbe Leiden prüften. Die nächste fragte einfach: *Wie würden Sie einen Ausbruch von Bauchtyphus feststellen?*, und die letzte forderte einen Essay über Würmer, durch den ich mich durchzubluffen hoffte.

Drei Stunden waren einem zur Beantwortung der Fragen gegeben. Nach der Hälfte dieser Zeit begannen sich die anonymen Prüflinge voneinander zu differenzieren. Einige von ihnen holten sich ein zusätzliches Antwortenheft; sie taten dies mit einem Gesichtsausdruck, in dem sich gleichzeitig Befangenheit und Überlegenheit tölpisch spiegelten. Andere wieder standen auf, gaben ihre Papiere ab und gingen weg. Ob diese Burschen so glänzend beschlagen waren, daß sie die schriftliche Prüfung in eineinhalb

Stunden hinter sich bringen konnten, oder ob dies die Zeitspanne war, binnen deren sie ihr gesamtes medizinisches Wissen ohne Hast niederzulegen imstande waren, war der nachlässigen Miene, mit der sie den Raum verließen, nie und nimmer zu entnehmen. Die Aufsichtsperson setzte die Glocke eine halbe Stunde vor dem Ablauf der Zeit in Bewegung; durch die letzte Frage raste man im Eilzugstempo, und dann begannen die Diener die Bögen jenen Kandidaten zu entreißen, die mit der ihnen für ihre Ergüsse zugebilligten Zeitspanne nicht einverstanden waren und durch einen unvollendeten Satz in den Examinatoren den Eindruck von glänzenden, aber an ihrer Entfaltung gehinderten Gaben zu erwecken hofften.

Ich wankte die Stiege mit dem Gefühl hinunter, als hätte ich gerade einen Acht-Runden-Kampf hinter mir. Voll Verzweiflung griff ich nach meiner Zigarettenpackung. Die anderen Kandidaten tummelten sich herum und schnatterten wie Kinder kurz nach Schulschluß. Der erste, den ich draußen auf dem Platz erkannte, war Grimsdyke.

«Wie ist es dir ergangen?» fragte ich.

«Soso», erwiderte er. «Ich bin aber trotzdem nicht in Sorge. Die lesen ja nie die schriftlichen Arbeiten. Das weiß ich totsicher. Hast du nicht gehört, auf welche Art sie im Cambridge die Abgangsprüflinge klassifizieren, alter Junge? In der Nacht vor dem Bekanntwerden der Ergebnisse wackelt der alte Don nach rückwärts aus dem Saal und schmeißt das ganze Zeugs die Treppe hinunter. Die Bögen, die oben liegen blieben, kriegen ein Vorzüglich, die meisten landen am Treppenabsatz und kriegen ein Gut, die Befriedigenden fliegen bis zum unteren Treppenabsatz, und die, die das Erdgeschoß erreichen, fallen durch. Dieses System hat sich nun schon seit Jahren glänzend bewährt, ohne je einen Kommentar heraufzubeschwören. Ich hörte das Ganze von einem, der die höchste Auszeichnung bekommen hat.»

Benskins riesige Gestalt erschien inmitten der Menge beim Ausgang. Er grinste über das ganze Gesicht und winkte uns aufgeräumt zu.

«Du schaust ja aus, als ob du recht zufrieden mit dir wärst», sagte ich.

«Bin ich auch, Alter! Heut hab' ich Benskins unfehlbares System, Prüfungen zu bestehen, erprobt, und ich muß sagen, es hat sich blendend bewährt. Was für eine Nummer hast du?»

«Dreihundertsechs.»

«Ich habe hundertzehn. Das Ganze, was ich tat, war, in den Saal zu gehn, der die Aufschrift ‹200–300› trug, ein bißchen herumzustreichen, während sich die Leute niedersetzten, und diesem Aufsichtsburschen zu sagen, daß mir kein Platz zugewiesen sei. Zuerst entschuldigte er sich, dann sah er sich meine Karte an und forderte mich mit ziemlich scharfen Worten auf, in den richtigen Saal zu gehen. Ich war natürlich entsprechend zerknirscht und murmelte etwas Vertrotteltes über meine Nerven — hab' jedoch bei meiner Wanderung durch die Pulte einen verdammt scharfen Blick auf die Prüfungsfragen geworfen. Nun, wenn ihr die Statuten durchstudiert, werdet ihr sehen, daß die Kandidaten bis zwanzig Minuten nach Beginn der Prüfung eingelassen werden; ich hatte daher massenhaft Zeit, in die Toilette zu schlüpfen und alles nachzuschlagen, bevor ich mich atemlos und zerfahren im richtigen Saal präsentierte. Schlau gemacht, was?»

«Hoffentlich können sie deine Schrift nicht lesen», sagte ich erbittert.

Das mündliche Examen wurde eine Woche nach dem schriftlichen abgehalten. Ich bekam ein weißes Billett, ähnlich der Einladung zu einer Cocktail-Party, das um mein Erscheinen im Prüfungsgebäude um halb zwölf Uhr bat. Ich stand spät auf, rasierte mich mit einer neuen Klinge und bürstete sorgfältig meinen Anzug aus. Sollte ich die Krawatte unseres Spitals anlegen? Das war eine knifflige Frage. Es war bekannt, daß die Professoren bei der Nennung gewisser Spitäler allergische Anwandlungen bekamen, und wenn sie meine Krawatte auch zu überzeugen vermochte, daß ich, zum Beispiel, nicht vom St. Mary oder vom Guy kam, so hätten sie, die Inquisitoren, ebensogut etwas gegen die Leute vom St. Swithin haben können.

Ich legte daher eine ruhige neutrale Krawatte und einen steifen weißen Kragen an. Die Kleidung war wichtig, denn man erwartete vom Kandidaten, daß er wie ein Doktor aussähe, selbst wenn er keine Anhaltspunkte dafür bot, je einer zu werden; ein beleidigter Professor hatte einst einen Burschen, der unglückseligerweise in seiner alltäglichen Aufmachung — Sportrock und Flanellhosen — erschienen war, dem Diener mit der Weisung übergeben: «Bringen Sie den Herrn zum nächsten Golfplatz.»

Es ist vor allem der physische Kontakt mit den Professoren, der die mündlichen Examina bei den Studenten so unbeliebt macht. Bei der schriftlichen Beantwortung waltet ein gewisser Abstand, und man kann — wie im Leben — Fehler und Unterlassungen begehen, ohne von einer unmittelbaren Bestrafung bedroht zu sein. Aber die Mündliche ist wie das Jüngste Gericht. Eine falsche Antwort, eine unzulängliche Berichtigung — und Gottes Brauen dräuen wie nahendes Gewitter. Verliert der Kandidat angesichts dieses grausigen Mißfallens seine Nerven, ist er erledigt: eine Verwirrung erzeugt fortlaufend die andere, und gegen das Ende der Prüfung strampelt er wie eine Kuh, die in einen Morast geraten ist. Eine derartige Verfassung hatte bereits Harris dem Untergang geweiht; er war durch eine schreckliche Aneinanderreihung von Fauxpas in einen Zustand fast völliger Sprachlosigkeit geraten. Schließlich entschloß sich der Professor, den armen Kerl um etwas Einfaches zu befragen, und reicht ihm ein Brustbein, das zu Lebzeiten seines Eigentümers durch den Druck einer darunterliegenden erweiterten Arterie teilweise eingebuchtet worden war. «Nun, mein Junge», sagte der Professor, «was hat Ihrer Meinung nach diese Höhlung verursacht?» Als Antwort hätte ihm das einfache Wort «Druck» genügt, aber Harris starrte, aus allen Wolken gefallen, das Exemplar schweigend an. Seufzend nahm der freundliche Examinator seinen Kneifer ab und wies auf die beiden Vertiefungen, die dieser rechts und links von seiner Nase hinterlassen hatte. «Nun», fuhr er hilfreich fort, «was glauben Sie, hat dies verursacht?» Irgend etwas schnappte in Harris' von Panik erfülltem Hirn ein. Die eingedrückte Nasenbrücke . . . ein Bild tauchte vor ihm auf, das er so oft auf den ersten Seiten seines Chirurgiebuches gesehen hatte. «Ererbte Syphilis, Sir», erwiderte er, ohne zu zögern.

Ich wurde in einen winzigen Warteraum geführt, der, wie eine Armesünderzelle, mit harten Sesseln, einem hölzernen Tisch und Fenstern, die sich nicht öffnen ließen, ausgestattet war. Sechs Kandidaten aus anderen Spitälern, alle in ihren besten Anzügen, warteten hier mit mir darauf, eingelassen zu werden. Sie repräsentierten gut die Typen, die man gewöhnlich in den Warteräumen der Mündlichen zu sehen bekommt. Da gab es den Nonchalanten, der, die Füße auf dem Tisch, auf den Hinterbeinen seines Sessels balancierte, wobei unterhalb seiner blauen Hosenbeine knallgelbe Socken zum Vorschein kamen. Er las die Sportrubrik des *Express* mit ungekünstelter Gründlichkeit. Neben ihm saß ein Exemplar der Sorte der Nervenbündel auf der Kante seines Stuhls, zerfetzte sein Einladungsbillett in winzige Stückchen und sprang bei jedem Öffnen der Türe wie ein Wilder auf die Beine. Da war der Büffler, der die Seiten seines abgegriffenen Lehrbuchs in einer letzten ver-

zweifelten Abschiedsumarmung an sich preßte, und sein Gegen-
spieler, der alte Routinier, der dem Ganzen mit der Familiarität
eines Hochzeitsphotographen gegenüberstand. Er war offenbar
schon so oft beim Examen durchgefallen, daß er die Mündliche
lediglich als eine zusätzliche Verabredung betrachtete, die er noch
in seiner Tageseinteilung unterbringen mußte. Er sah gähnend
zum Fenster hinaus, und seine Laune heiterte sich nur dann auf,
wenn er den Diener erblickte, mit dem er auf demselben vertrauten Fuß stand wie ein vorgeschrittener Student mit einem seinem
Schutze unterstellten jüngeren.

«Wie geht's Ihnen diesmal, Sir?» fragte ihn der Diener munter.

«Nicht so schlimm, William, gar nicht so schlimm. Die zweite
Frage bei der Schriftlichen war dieselbe wie vor vier Jahren. Wie
sind die Burschen da drinnen?»

«Ziemlich milde gestimmt heute, Sir. Ich hol' ihnen grad ihren
Kaffee.»

«Ausgezeichnet! Geben Sie recht viel Zucker hinein. Eine geringe Menge Blutzucker ist der guten Laune abträglich.»

«Gewiß, Sir. Hals- und Beinbruch!»

«Danke, William!»

Weiters befand sich noch ein weibliches Wesen im Warteraum.
Sie war, wie ich bemerkte, ein adrettes kleines Ding, wahrscheinlich die Empfängerin eines königlichen Stipendiums. Sie saß keck
auf ihrem Sessel, die Hände im Schoß gefaltet. Studentinnen —
ich spreche von den anziehenden, nicht von jenen, die nur infolge
unausweichlicher anatomischer Einrichtungen dem weiblichen Geschlecht zugezählt werden müssen — sind bei mündlichen Prüfungen benachteiligt. Die männlichen Examinatoren haben eine solche Angst davor, sich durch ihr Geschlecht zugunsten der Frauen
beeinflussen zu lassen, daß sie sich ihnen gegenüber gewöhnlich
einer unverdienten Strenge befleißigen. Dieses Mädel jedoch hatte
sich auf die Prüfung sorgfältig vorbereitet. Ihre Kleidung war gut,
aber nicht todschick; ihre Frisur nett, aber nicht auffallend; sie hatte gerade so viel Make-up aufgewandt, um anziehend zu wirken,
und sie übte sich anscheinend, allerdings mit einiger Anstrengung,
darin, dem männlichen Geschlecht mit einem Blick bewundernder
Unterwürfigkeit zu begegnen. Ich hatte das sichere Gefühl, daß
sie durchkommen würde.

Ich saß allein in einer Ecke und spielte mit meiner Krawatte.
Man ließ die Kandidaten stets zu früh antreten, und der Kaffee
würde eine weitere Verzögerung verursachen. Es blieb einem nichts

anderes übrig, als ruhig zu warten und an etwas zu denken, das mit der kommenden peinlichen Viertelstunde nichts zu tun hatte, etwa an das Rugby oder an die Beine der Studentin. Plötzlich wurde die Türe aufgerissen, und ein erregt blickender Jüngling schoß herein.

«Es war gar nicht so arg!» rief er atemlos dem Nonchalanten zu. Die beiden stammten offensichtlich vom selben Spital.

«Ich hatte Sir Rollo Doggert und Stanley Smith», sagte er mit einigem Stolz. Dies trug ihm ein anerkennendes Nicken von uns allen ein, denn die beiden waren als die schwierigsten Examinatoren Londons bekannt.

«Doggert begann damit, mich über die Anzeichen und Symptome der Ägyptischen Augenentzündung zu befragen», fuhr er fort. «Zufälligerweise wußte ich etwas darüber, denn ich hatte sie gerade gestern nacht nachgeschlagen . . .»

«Die ägyptische Augenentzündung!» rief das Nervenbündel. «Mein Gott, die hab' ich total vergessen!»

«Daher war mir sofort klar, daß ich ihm am besten als Mann zu Mann Rede stehen mußte — nicht in der gewissen servilen Art; er hat es viel lieber, wenn man seinen Standpunkt männlich vertritt. Ich leierte die Ägyptische Augenentzündung herunter und er sagte ‹Sehr gut, mein Junge, sehr gut›.»

«Hat er dich noch was andres gefragt?» wollte sein Freund wissen.

«O ja. Er fragte, was ich tun würde, wenn ich mit einem Diabetiker Golf spielen ginge und dieser beim dritten Schlag kollabiert. Nun, ich sagte . . .»

Der Besucher gab eine detaillierte Schilderung seiner Prüfung zum besten, wie einer, der von einer Kieferoperation kommt und den Insassen des Warteraums unbedingt seine Erfahrungen unter dem Vorwand berichten muß, daß keins von den schrecklichen Dingen, die dabei passieren, wirklich wehtut.

Der Diener schnitt dem Erzähler das Wort ab. Er hieß uns hintereinander vor der düsteren Türe des Prüfungszimmers Aufstellung nehmen. Drinnen erklang schwach eine Glocke. Die Türe öffnete sich, und er ließ uns einzeln ein, wobei er jeden zu einem anderen Tisch dirigierte.

16

«Tisch nummer vier», sagte der Diener zu mir.

Das Zimmer war dasselbe, in dem wir unsere Schriftliche abgelegt hatten, diesmal jedoch war es leer bis auf eine Doppelreihe grün überzogener Tische, die durch Schirme voneinander getrennt waren. An jedem saßen zwei Examinatoren sowie ein Student, der in ein leises Gespräch mit ihnen vertieft war — es ging wie bei der Beichte zu.

Ich stand vor Tisch Nummer vier. Die Professoren waren mir unbekannt. Der eine war ein ältlicher untersetzter Mann vom Aussehen eines Preisboxers im Ruhestand; er rauchte eine Pfeife und machte mit einem Bleistift emsig Eintragungen in ein Notizbuch. Der andere war unsichtbar, denn er war damit beschäftigt, die Morgenausgabe der *Times* zu lesen.

«Guten Morgen, Sir», sagte ich. Keiner der beiden nahm Notiz von mir. Nach einer Minute blickte der Stämmige von seiner Schreibarbeit auf und deutete schweigend auf einen vor ihm stehenden Sessel. Ich nahm Platz. Er knurrte etwas.

«Wie bitte, Sir?» fragte ich höflich.

«Nummer dreihundertsechs, wollte ich wissen!» sagte er gereizt. «Das ist doch richtig?»

«Ja, Sir.»

«Na also, warum haben Sie mir das nicht gleich gesagt? Wie würden Sie einen Tetanusfall behandeln?»

Mein Herz machte einen frohen Sprung. Darüber wußte ich etwas, denn wir hatten kürzlich einen solchen Fall im St. Swithin gehabt. Siegessicher hob ich zu sprechen an, leierte die Behandlungsvorschriften herunter und fühlte mich um vieles leichter.

Der Professor schnitt mir unversehens das Wort ab. «Gut, gut», sagte er ungeduldig, «das scheinen Sie ja zu wissen. Ein zwanzigjähriges Mädel kommt zu Ihnen und beklagt sich über Gewichtszunahme. Was werden Sie tun?»

Das war die Art zu fragen, die ich gar nicht mochte. Da gab es so viele Möglichkeiten, daß meine Gedanken durcheinanderpurzelten wie Rugbyspieler und sich so verwirrten, daß sie nicht mehr auseinanderzuhalten waren.

«Ich — ich würde sie fragen, ob sie schwanger ist», sagte ich.

«Großer Gott, Mensch! Sie werden doch nicht hingehen und alle Mädel Ihrer Bekanntschaft fragen, ob sie schwanger sind? Von welchem Spital sind Sie?»

«Vom St. Swithin», erwiderte ich so verschämt, als hätte ich eine illegitime Abstammung einzugestehen.

«Das hätte ich mir denken können! Nun, versuchen Sie es noch einmal.»

Ich konzentrierte mich neuerdings und stotterte eine Antwort hervor. Der Professor blickte an mir vorbei die gegenüberliegende Wand an und nahm meine Anwesenheit nur durch gelegentliches Brummen zur Kenntnis.

Die Glocke klingelte und ich rückte zum nächsten Stuhl, vis-à-vis den *Times*, vor. Die Zeitung raschelte und ging nieder, wobei sie einen sanft und jung aussehenden Mann mit riesiger Brille enthüllte, der mich mit einem Ausdruck konstanter leichter Überraschtheit anblickte. Er schien nicht nur überrascht zu sein, mich hier zu sehen, sondern nahm mit dieser Miene auch jede meiner Antworten entgegen. Ich fand das äußerst enervierend.

Er schob mir über den grünen Tischüberzug einen kleinen versiegelten Glasbehälter aus einem pathologischen Museum zu, in welchem ein Stück Fleisch, das wie der Überrest von einem Sonntagsbraten aussah, in Spiritus herumschwamm.

«Was ist das?» fragte er.

Ich ergriff das Glas und unterzog es einer sorgfältigen Untersuchung. Die Technik bei solcherlei pathologischen Präparaten war mir nichts mehr Neues. Man mußte sie zuerst umdrehen, da ihre Identität meist auf einem Schildchen an der Unterseite festgehalten war. Befand man sich dann noch immer in Verlegenheit, konnte man niesen und es den nervösen Fingern entgleiten lassen, so daß es auf dem Boden zerschellte.

Ich drehte das Glas um und entdeckte zu meiner schweren Enttäuschung, daß das Schildchen vorsichtshalber entfernt worden war. Unglücklicherweise befand sich im Gefäß so viel Sediment, daß es an jene kleinen Kugeln erinnerte, in die ein Modell des Eiffelturms eingebaut ist: beim Umstürzen wird dieser in einen dichten Schneesturm eingehüllt. Ich konnte daher das Präparat nicht einmal richtig erkennen, als ich das Glas wieder zurückdrehte.

«Leber», riet ich aufs Geratewohl.

«Wie?» rief der Überraschte. Der andere Professor, der sich wieder seiner Schreibarbeit zugewandt hatte, schmiß angewidert seinen Bleistift hin und starrte mich an.

«Ich meine Lunge», korrigierte ich mich.

«Das stimmt schon eher. Was ist an ihr nicht in Ordnung?»

Das Präparat konnte mir bei der Antwort nicht helfen, denn es hüpfte noch immer in einem Wirbel weißer Partikel herum; daher mußte ich mich zum zweitenmal aufs Raten verlegen.

«Pneumonie, Stadium der grauen Hepatisation.»

Der Überraschte nickte. «Wie prüfen Sie ein Diphtherie-Serum?» fragte er weiter.

«Indem ich es einem Meerschweinchen injiziere, Sir.»

«Ja, aber da müssen Sie ein normalgewichtiges Tier haben, nicht wahr?»

«Ja, natürlich ... von hundert Kilogramm.»

Die beiden Männer brachen in ein brüllendes Gelächter aus.

«Das wäre so groß wie ein Polizist, Sie Narr!» rief der erste Professor.

«Oh, Verzeihung», stammelte ich kläglich. «Ich meine hundert Milligramm.»

Das Gelächter brach von neuem aus. Ein oder zwei Examinatoren an den Nachbartischen sahen interessiert herüber. Die anderen Kandidaten kamen sich wie Sträflinge in der Zelle der Abgeurteilten vor, die das Schloß der Hinrichtungskammer öffnen hören.

«Dann könnten Sie es kaum erkennen, Junge», sagte der Überraschte und trocknete sich die Augen. «Das Tier wiegt hundert Gramm. Nun, wir wollen zu einem anderen Thema übergehen. Wie würden Sie einen einfachen Fall von Halsschmerzen behandeln?»

«Ich würde einen Sulfonamidstoß machen, Sir.»

«Richtig.»

«Ich stimme nicht mit dir überein, Charles», unterbrach ihn der andere ungestüm. «Das heißt mit gar zu grobem Geschütz auffahren. Ich kenne ein ausgezeichnetes Gurgelwasser, das ich seit Jahren verschreibe und das sich sehr gut bewährt.»

«Na, ich weiß nicht», setzte sich der Überraschte mit Wärme ein. «Schließlich muß man diese Drogen einmal verwenden. Ich habe mit Sulfonamiden stets ausgezeichnete Erfolge erzielt.»

«Hast du vergangenen Winter die Abhandlung McHughs im *Clinical Record* gelesen?» fragte der erste Professor und haute noch einmal auf den Tisch.

«Gewiß habe ich sie gelesen, George, ebenso wie den darauffolgenden Briefwechsel. Nichtsdestoweniger finde ich, daß noch immer einige Zweifel darüber bestehen, ob ...»

«Ich kann wirklich nicht mit dir übereinstimmen ...»

Sie gerieten in eine hitzige Auseinandersetzung, in die sie noch immer verwickelt waren, als ein zweites Glockenzeichen mir die Erlaubnis gab, wegzuschlüpfen und kläglich auf die Straße zu eilen.

Nach der Mündlichen traten schwarze Tage ein. Mir war zumute, als hätte ich einen schweren Unfall erlitten. Die ersten paar Stunden war ich wie vor den Kopf gestoßen und außerstande, mir das, was mir passiert war, zu vergegenwärtigen. Dann begann ich mich zu fragen, ob ich es je wieder wettmachen und durchkommen könnte. Ein oder zwei meiner Freunde sprachen mir Mut zu, indem sie mir ähnlich niederschmetternde Erfahrungen schilderten, die zu einem früheren Zeitpunkt über sie hereingebrochen waren und ihnen dennoch ein Durchkommen ermöglicht hatten. Ich begann wieder Hoffnung zu schöpfen. Die wenigen erfolgreichen Momente schlossen sich zusammen und verwoben sich zu einem Triumphbogen. Schließlich und endlich, dachte ich mir, hatte ich den Inhalt des Glases doch erraten und hatte etwas über den Tetanus gewußt ... und dann vergaß ich das Ganze in meiner Angst vor dem letzten Abschnitt der Prüfung, der Klinischen.

Diese ist vielleicht der zufallsreichste Teil des dreifachen Examens. Entweder wird dem Studenten ein eindeutiger Fall zugewiesen, dessen Brusttöne durch das Stethoskop wie das Getöse einer Eisengießerei klingen, oder er bekommt etwas verteufelt Kniffliges.

Die Fälle für das klinische Examen wurden aus den Ambulatorien sämtlicher Londoner Spitäler zusammengestellt; die Ärzte pflegten sie im praktischen Unterricht kurzerhand als die «alten Chronischen» zu bezeichnen. Ihre Leiden waren so weit als möglich geheilt; nun liefen sie so ziemlich gesund herum, waren jedoch innerlich mit einer Kollektion von knackenden, pfeifenden oder rasselnden Geräuschen ausgestattet, die der nicht rückgängig zu machende Prozeß ihrer Krankheiten hervorgerufen hatte. Sie stellten genau das dar, was die Professoren den Prüflingen gerne vorführten. Ein Fall allgemeinen Unwohlseins oder eine unbestimmte Geschwulst sind zu umstritten, aber ein richtiges herzhaftes Knattern in der Brust verleiht das Recht, einen Burschen, der es nicht erkennt, glatt durchfallen zu lassen.

Die Patienten erhielten für diese Dienste siebeneinhalb Shilling sowie Tee und Bäckerei. Die meisten von ihnen hätten sich jedoch auch gerne als reine Amateure zur Verfügung gestellt und ihre eigenen Brötchen mitgebracht. Die alle sechs Monate stattfindenden Besuche zu Prüfungszwecken waren für sie die wichtigsten Ausgänge des Jahres. Sie sprachen monatlich einmal in ihren Spitälern vor, um ihren stolzesten Besitz, die Krankheitszeichen, einem einzigen Doktor vorzuführen und draußen auf den Bänken mit ihren Leidensgenossen darüber zu diskutieren; aber bei den Examina wurden sie von Hunderten von Doktoren — oder Burschen, die soviel wie Doktoren waren — untersucht und hatten Gelegenheit, mit der Elite ihrer Gefährten zu schwatzen. Das ist genau so viel wert wie der Sieg in einem internationalen Rugbymatch.

Ich traf vorzeitig im Prüfungsgebäude ein, um die Burschen, die das Examen schon hinter sich hatten, so viel als möglich auszufragen. Ich wußte, daß Benskin schon frühmorgens hingegangen war, und hielt in der Halle nach ihm Ausschau, um herauszufinden, was es oben gäbe.

«Da ist einmal ein Asthma in einem roten Halstuch, Junge», sagte er hilfsbereit. «Dann ein Alter mit einem Emphysem gleich bei der Tür, wenn du hineinkommst — kriegst du ihn, so vergiß nicht, seinen Unterleib zu untersuchen, er hat auch noch einen beiderseitigen Leistenbruch.»

Ich prägte mir alles gut ein.

«Dann gibt's da ein kleines Mädel mit einem offenen Ductus — du kannst es nicht verfehlen, es ist das einzige Kind im ganzen Saal. Oh, und eine Frau mit ausgeheilter Tabes. Man wird dich fragen, was für eine Behandlung du an ihr vornehmen würdest, und erwartet die Antwort ‹keine›.»

Ich nickte, dankte ihm und schritt in den Prüfungsraum.

Der erste Eindruck, den ich von der Klinischen erhielt, war der einer auf Massenproduktion umgestellten Sprechstunde. Patienten waren über den ganzen Raum auf Sofas, Betten und Rollstühlen verstreut, wobei die Männer von den Frauen durch Schirme, die man in der Mitte des Saales aufgestellt hatte, getrennt waren. Sie befanden sich in allen Stadien der Entkleidung und Untersuchung. Zwischen ihnen zirkulierten geschäftig ungefähr ein Dutzend Pflegerinnen, Professoren in weißen Mänteln und unglücklich aussehende Studenten, deren Stethoskope ihnen nachbaumelten wie die Rockschöße berittener Dandys.

Ich wurde zu einem freundlichen kleinen Examinator mit einem richtigen Tonnenbauch gewiesen.

«Hallo, mein Junge», begann er aufgeräumt. «Von woher kommen Sie? Vom Swithin, wie? Wann werdet ihr Burschen endlich den Rugby-Pokal gewinnen? Also ziehen Sie los und unterhalten Sie sich mit dieser netten jungen Dame dort in der Ecke; in zwanzig Minuten bin ich bei Ihnen.»

Sie war wirklich eine nette junge Dame. Ein Rotköpfchen mit einer Figur aus dem *Esquire* herausgeschnitten.

«Guten Morgen!» sagte ich, berufsmäßig lächelnd.

«Guten Morgen!» gab sie heiter zurück.

«Würden Sie mir bitte freundlichst Ihren Namen sagen?» fragte ich höflich.

«Gewiß. Molly Ditton. Ich bin ledig, zweiundzwanzig Jahre alt, Stenotypistin, und in diesem Beruf seit vier Jahren tätig. Ich wohne in Ilford und war noch nie im Ausland.»

Mein Herz erwärmte sich: sie kannte sich aus.

«Wie lange kommen Sie schon hierher?» fragte ich. «Sie scheinen schon alle Antworten im voraus zu wissen.»

Sie lachte.

«Oh, schon jahrelang. Ich möchte wetten, daß ich über mich mehr weiß als Sie.»

Sie war gerade die Richtige! Es gibt eine goldene Regel bei der Klinischen: frage die Patienten aus. Sie wohnen schon so viele Jahre den Prüfungen bei und hören Professoren und Kandidaten so oft über sich diskutieren, daß sie die medizinischen Bezeichnungen wie am Schnürchen hersagen können. Ich brauchte nur das richtige Stichwort zu geben. Ich sprach mit ihr über Ilford und die einzigartigen Vorteile, dort zu leben; über das Stenotypieren und seine Auswirkungen auf die Fingernägel; über ihre Verehrer und ihre Heiratsaussichten (was einiges Kichern hervorrief); über das Wetter und darüber, wo sie ihren Urlaub verbringen würde.

«Übrigens», fragte ich voll Bedacht so nebenbei, «was fehlt Ihnen eigentlich?»

«Oh, ich leide infolge Rheumatismus an einer Mitralstenose, bin aber vollkommen kompensiert und habe eine günstige Prognose. Am Apex sind präsystolische Geräusche zu hören, aber die Aortenzone ist klar und am Ursprung sind keine Herztöne zu hören. Außerdem ist meine Schilddrüse leicht vergrößert, es macht sich gut, wenn Sie das erwähnen. Ich leide nicht an fibrillären Zuckungen und stehe nicht in Behandlung.»

«Verbindlichsten Dank!» sagte ich.

Der Tonnenbauch war hingerissen, als ich ihm die Diagnose der Patientin wortgetreu als meine eigene mitteilte.

143

«Famos, ganz famos!» strahlte er. «Auch die Schilddrüse haben Sie bemerkt ... freut mich, daß ein paar von euch Burschen richtig beobachten können. Seit Jahren sag' ich meinen Studenten: beobachtet, beobachtet, beobachtet. Trotzdem tun sie es nie. Sie sind in Ordnung, mein Junge. Nun nehmen Sie noch dieses Ophthalmoskop und sagen Sie mir, was Sie im Auge dieser alten Frau alles erblicken können.»

Mein Herz, das sich bereits einer Schwalbe gleich emporgeschwungen hatte, fiel mir wieder in die Hose. Der Professor reichte mir das kleine schwarze Instrument, das zur Augenuntersuchung dient. Ich hatte es oft in den Krankensälen in Verwendung stehen sehen, aber leider Gottes nie die Zeit erübrigt, seine Benützung zu erlernen. Es war ein Kniff dabei, den ich nicht kannte; und ich wußte nur zu gut, daß dieser Mangel ausreichte, um mich auf der Stelle durchfallen zu lassen. Ich stellte mir vor, wie die sonnige Freundlichkeit des Professors in wütende Gereiztheit umschlagen würde; meine Hand zitterte, als ich das Instrument ergriff. Ich placierte es langsam zwischen mein Auge und das der Patientin. Ich konnte lediglich etwas ausnehmen, das wie ein schmutziges Aquarium aussah, in dem ein großer trüber Fisch herumschwamm. Nun war es an der Zeit, schnell zu handeln. Indem ich intensiv durch das Instrument starrte, stieß ich einen langen und erstaunten Pfiff aus.

«Ja, das ist wohl eine ausgedehnte Netzhautablösung, was?» sagte der Professor glücklich, nahm mir das Ophthalmoskop aus der Hand und klopfte mir auf den Rücken. Ich sah meinen Namen in der Liste derer, die bestanden hatten, erglänzen und trabte mit einem dankerfüllten Blick auf das Rotköpfchen hochgemut die Stiege hinab.

In der Halle traf ich wieder mit Benskin zusammen. Er sah jammervoll niedergeschlagen aus. «Was ist los?» fragte ich ängstlich.

Benskin schüttelte den Kopf und berichtete mir mit erstickter Stimme, was vorgefallen war. Während ich in interner Medizin geprüft worden war, hatte man ihn in praktischer Geburtshilfe befragt. Die künftigen Geburtshelfer mußten sich unter anderem auch an einem Papiermaché-Modell versuchen, das die untere Hälfte des weiblichen Rumpfes in Lebensgröße darstellte; durch eine Klappe wurde ein mit Stroh ausgestopftes Baby hineingetan. Man versah den Kandidaten mit einer Geburtszange und forderte ihn auf, dieses *per via naturalis* herauszupraktizieren. Nun war

Benskin an der Reihe, dies zu tun. Er applizierte feierlich die beiden Zangenlöffel am Kopf des Babys, wobei er darauf achtete, zuerst den einen richtig anzusetzen. Er umschloß den Griff fest in der erprobten Handhaltung und zog kräftig an. Nichts geschah. Er zog noch stärker an, aber der Strohfötus lehnte es ab, geboren zu werden. Schweißtropfen perlten auf Benskins Brauen, der Mund trocknete ihm aus; er sah seine Chancen, durchzukommen, dahinschwinden wie ein abbrennendes Zündholz. Schließlich machte er einen verzweifelten Ruck. Seine Füße rutschten auf den gewichsten Parketten aus, und Mutter, Baby, Zange und alles übrige flog über seinen Kopf hinweg erdwärts.

Der Professor blickte den auf dem Boden Liegenden eine Sekunde schweigend an. Dann hob er den einen Löffel der Zange auf und reichte ihn Benskin.

«Nun erschlagen Sie noch den Vater damit», sagte er beißend, «dann haben Sie die ganze verdammte Familie ausgerottet.»

17

«MAN VERSAGT NICHT BEI PRÜFUNGEN», ERKLÄRTE GRIMSDYKE MIT Bestimmtheit. «Man wird durchfallen gelassen, man wird durchrasseln gelassen, man wird gespritzt. Diese Ausdrücke lassen erkennen, daß man am Pech nicht selber schuld ist. Von Versagen zu sprechen ist ein Zeichen schlechten Geschmacks. Das ist genau so, wenn man vom Verscheiden oder vom Dahingehen spricht, anstatt einfach ‹sterben› zu sagen.»

Wir saßen mit Benskin im «König Georg». Es war vormittags unmittelbar nach dem Öffnen des Lokals, und wir befanden uns allein in der Trinkstube. Wir saßen auf den Barhockern, hatten die Ellbogen auf die Theke gestützt und die Köpfe auf die Hände. Alle drei sahen wir erbärmlich niedergedrückt aus. Die Prüfungsergebnisse sollten mittags verlautbart werden.

«Wenn sie es nur nicht so herzlos machten», sagte ich. «Da wird man als einzelner vor alle andern hingestellt. Ich wünschte, sie würden die Sache mit ein bißchen mehr Anstand und Diskretion behandeln. Mir wäre es viel lieber, wenn sie einem einen Brief schickten. Da kann man sich wenigstens verkriechen und ihn auf dem Klo oder sonstwo öffnen.»

«In Tibet, glaube ich», fuhr Grimsdyke fort, «richtet man die erfolglosen Kandidaten auf der Stelle hin.»

«Na, denen ist das wahrscheinlich recht.»

«Sie haben Harris riesig anständig erledigt», sagte Benskin so ehrfürchtig, als spräche er von einem Toten. «Er ist so überzeugt davon, daß er in sechs Monaten noch einmal antreten muß, daß er sich nicht einmal die Mühe nimmt, die Resultate anzuhören. Als er bei der Mündlichen so verzweifelt zappelte, sah der alte Knabe bloß träumerisch zum Fenster hinaus und sagte: «Junger Mann, wie geheimnisvoll und wunderbar ist doch die Natur! Jetzt sehen wir die Blätter auf den Zweigen zu Gold werden und zu Boden fallen. Blumen und Pflanzen sind ihrer sommerlichen Schönheit beraubt und verwelkt, und die Erde sieht so tot aus, als gäbe es keine Hoffnung auf eine Wiederauferstehung. Aber im Monat April ist der Frühling wieder da, die Bäume werden in grüne Flammen ausbrechen, die Schößlinge werden durch die schwarze Erde empordrängen, und Blüten werden die nackten Blumenbeete bedecken. Und Sie, mein Junge, und ich werden wieder gemeinsam hier sein, um das zu sehen, nicht wahr?»

«Meiner Meinung nach war das sehr taktlos», sagte Grimsdyke.

Der Padre stellte drei kleine Gläser vor uns hin.

«Whisky?» fragte Grimsdyke. «Ich dachte, wir hätten Bier bestellt.»

«Wenn Sie mir gestatten, Mr. Grimsdyke, möchte ich Ihnen auf Grund meiner Erfahrungen etwas Nahrhafteres vorschlagen. Ich weiß, was für eine schwierige Zeit das für die jungen Herren ist. Wollen Sie dies bitte mit meinen besten Komplimenten entgegennehmen?»

«Na, hören Sie mal, Padre . . .!»

Er hob die Hand.

«Kommt nicht in Frage, Sir. Das Geld, das ich Ihnen im Laufe unserer langen Bekanntschaft abgenommen habe, reicht auch für das aus. Viel Glück, meine Herren!»

«Ex», sagte Benskin.

«Ich bin trotzdem sicher, daß ich gerasselt bin», sagte ich und stellte mein Glas nieder. «Wie könnte ich auch durchgekommen sein, nach dieser scheußlichen Mündlichen?»

Benskin schnaubte: «Du hast leicht reden! Und was ist mit meiner Klinischen in Geburtshilfe? Die steht schon in der Rubrik ‹Verpönte Vorfälle›!»

«Man kann nie wissen, lieber Alter», sagte Grimsdyke hoffnungsvoll. «Dafür hast du vielleicht die Schriftliche glänzend bestanden.»

«Sprechen wir nicht mehr darüber», schlug ich vor. «Reden wir lieber über das Rugby.»

Gegen Mittag gingen wir ins Prüfungsgebäude. Es war dieselbe Anzahl von Kandidaten versammelt, aber es war eine niedergeschlagene, leise murmelnde Menge, die den Mitgliedern eines Teams glich, das soeben in einer Pokalschlußrunde geschlagen worden war.

Wir drängten uns in die große Halle im Erdgeschoß. Sie war gerammelt voll von angsterfüllten Studenten. An der einen Seite der Halle, uns gegenüber, befand sich der Fuß der Marmortreppe. Links davon war eine einfache, offenstehende Türe, über der vor kurzer Zeit eine große, schwarz-weiße Tafel mit der Aufschrift «AUSGANG» angebracht worden war. Zur Rechten befand sich eine Uhr, die einige Minuten vor zwölf zeigte.

Wir waren schon genau unterrichtet worden, wie die ganze Sache vor sich ging. Schlag zwölf Uhr würde der Sekretär des Prüfungskomitees die Treppe heruntersteigen und, flankiert von zwei uniformierten Dienern, auf der untersten Stufe haltmachen. Unterm Arm würde er ein dickes, in Leder gebundenes Buch tragen, das die Prüfungsergebnisse enthielt. Der eine Diener würde eine Liste mit den Nummern der Kandidaten halten und diese der Reihe nach aufrufen. Der Kandidat würde dicht vor den Sekretär treten, und dieser würde einfach «Bestanden» oder «Nicht bestanden» sagen. Die Erfolgreichen würden die Treppe hinaufsteigen, um die Glückwünsche und Händedrücke der Professoren entgegenzunehmen, und die Durchgefallenen würden kläglich durch den Ausgang davonschleichen, um in Betäubungsmitteln Vergessen zu suchen.

«Es geht wenigstens schnell», murmelte Benskin nervös.

«Wie das Fallbeil der Guillotine», sagte Grimsdyke.

Eine Minute vor zwölf. Im Raum war plötzlich eine erschrekkende, unerwartete Stille und Ruhe eingetreten — sie wirkte wie eine nicht explodierende Bombe. Irgendwo in der Entfernung schlug eine Uhr die zwölfte Stunde. Meine Handflächen waren so naß wie ein Schwamm. Jemand hustete, und ich erwartete, daß davon die Fenster zu erzittern begännen. Mit leise scharrenden Tritten, die lange vor dem Erscheinen hörbar waren, kamen der Sekretär und die Diener feierlich die Stufen herunter.

Sie nahmen ihre Plätze ein; das lederne Buch wurde aufgeschlagen. Der ältere Diener erhob seine Stimme.

«Nummer zweihundertneun», begann er. «Nummer siebenunddreißig. Nummer einhundertfünfzig.»

Die Spannung im Raum zerriß, als die betreffenden Studenten sich nach vorne schleppten und hintereinander vor der Treppe Aufstellung nahmen. Die Nummern wurden nicht in ihrer natürlichen Reihenfolge ausgerufen, und die Kandidaten mühten sich, über das leise Gesprächsgemurmel und das Füßescharren der Versammelten hinweg die eigene Nummer zu vernehmen.

«Nummer einhundertundsechzig», fuhr der Diener fort. «Nummer dreihundertzwei. Nummer dreihundertsechs.»

Grimsdyke stieß mich heftig in die Rippen.

«Los!» zischte er. «Du bist dran!»

Ich schrak auf und bahnte mir einen Weg durch die unruhige Menge. Ich fühlte meinen Puls bis zum Hals herauf laut klopfen. Mein Gesicht glühte, und es war mir zumute, als hätte man mir plötzlich den Magen aus dem Leib gerissen.

Ich reihte mich in die kurze Schlange bei der Stiege ein. Mein Kopf war leer und wie betäubt. Ich starrte auf den roten Nacken meines Vordermannes, auf den blauen Streifen des Kragens über seinem Rock, und studierte beide mit blöder Intensität. Plötzlich fand ich mich unmittelbar vor dem Sekretär stehen.

«Nummer drei-null-sechs?» flüsterte der Sekretär, ohne den Blick vom Buch zu erheben. «R. Gordon?»

«Ja», krächzte ich.

Die Welt stand still. Der Verkehr stockte, die Pflanzen hielten im Wachstum inne, die Menschen waren gelähmt, die Wolken hingen schwer in der Luft, die Winde fielen zu Boden, die Sonne blieb am Himmel stehen.

«Bestanden», murmelte er.

Blind und wie auf den Kopf geschlagen stolperte ich treppaufwärts.

Die Trinkstube im «König Georg» war voll. Ich stürmte zur Türe hinein wie ein heißer Windstoß.

«Bestanden!» schrie ich.

Ein Tumult erhob sich in der Bar. Ich konnte nichts mehr erkennen. Eine Unzahl Gesichter wogte rosafarben vor mir durcheinander, ich fühlte dumpf, daß man mir die Hände drückte und auf den Rücken klopfte.

«Meine Gratulation, Sir!» rief der Padre und streckte mir seine Hand mitten durch die Menge entgegen. «Meine Gratulation, Herr Doktor! Hier bitte, Sir. Ein Liter Bier. Mit meinen allerherzlichsten Wünschen!»

148

Irgend jemand drückte mir den hohen Zinnkrug in die Hand. «Herunter damit!»

«Auf einen Zug, Alter!»

Ich war zu atemlos, um zu trinken. Ich wollte lachen, schreien, tanzen, und das alles gleichzeitig.

«Ich kann's einfach nicht glauben!» rief ich. «Es ist nicht wahr! Das erste, was mir zum Bewußtsein kam, war, daß mir die alten Knaben die Hand schüttelten und daß ich mein Diplom unterzeichnete.»

«Was ist mit den zwei anderen Herren?» rief der Padre.

«O Gott!» Ich fühlte mich plötzlich schuldbewußt. «Ich hab' ganz vergessen, auf sie zu warten!»

In diesem Augenblick flog die Türe auf. Benskin und Grimsdyke traten ein, jeder in des andern Rock, und versuchten einen heftig wiehernden Karrengaul mit sich hereinzuziehen.

«Mir kommt vor, bei denen ist alles in Ordnung», sagte der Padre.

Die Party dauerte bis zur Sperrstunde. Jeder Student der Schule schien sich in der winzigen Bar aufzuhalten. Ich leerte einen Maßkrug nach dem anderen. Jedermann schrie und sang, lehnte sich an den Hintermann, stieß den Nachbar an, schlug seinen Freund auf den Rücken. Der erboste Besitzer des Gauls war hereingebeten worden und trug nun das Lied «Die Lily von Laguna» einer Zuhörerschaft vor, die begeistert in die Refrains einstimmte. Der Raum füllte sich immer dichter, je mehr Nachrichten von Erfolgen einliefen — es ging zu wie in einem Hauptquartier, wenn Siegesmeldungen eintreffen.

«Bottle ist durchgekommen», hörte ich Evans durch das Getöse sagen. «Sprogget ebenfalls.»

«Und du?» brüllte ich zurück.

Evans hielt verzückt seinen Daumen aufwärts.

Auf einmal fand ich mich zwischen Benskin und Grimsdyke eingezwängt.

«Hurra!» schrie Benskin und raufte mein Haar.

«Es ist verdammt komisch!» rief Grimsdyke. «Verdammt komisch!»

«Was?» brüllte ich ihn an.

«Wir sind schon drei verdammt komische Doktoren!» kreischte er.

Wir brachen in ein tosendes Gelächter aus.

Die nächsten drei Tage war mir wie einem Gefreiten zumute,

der über Nacht völlig unerwartet zum General avanciert ist. Von einer Minute zur anderen war ich aus einem erwerbslosen und womöglich nicht einmal vertrauenswürdigen Bengel in ein ehrenwertes und zahlungskräftiges Mitglied einer akademischen Berufsklasse verwandelt worden. Nun würden mir Banken ihr Geld anvertrauen, Mietautounternehmungen ihre Wagen, und Mütter ihre Töchter. Ich durfte Rezepte, Totenzeugnisse und Anweisungsscheine auf Milch-Sonderzuteilungen unterzeichnen, und niemand durfte mir widersprechen. Es war einfach wundervoll.

Sobald die Prüfungsergebnisse bekanntgegeben waren, bestimmten die Chefärzte die neuen Mitglieder des Anstaltsstabes von Swithin. Ich wurde Dr. Malcolm Maxworth als Hausarzt zugeteilt und mußte nächste Woche mit der Arbeit beginnen. Evans hatte, wie ich aus der Liste ersah, die Rosine aus dem Kuchen erhalten — er war Hausarzt des Chirurgie-Professors geworden —, und Grimsdyke wurde zweiter Arzt in der Geburtshilfe-Abteilung. Sprogget hatte sich nicht um eine Anstellung im St. Swithin beworben, und Benskin erhielt keine. Der Dean hatte diesbezüglich sein Veto eingelegt.

Ich packte meine Sachen zusammen und verließ die Bude in Bayswater. Der Hauswirt hatte uns schon seit einiger Zeit loswerden wollen und ergriff die Gelegenheit, die Wohnung wieder in seinen Besitz zu nehmen. Wir hatten noch eine Streiterei wegen der von ihm in Rechnung gestellten Schadenersatzsumme, aber Sprogget regelte die Angelegenheit, indem er so lange drohte, den Leiter des öffentlichen Gesundheitsdienstes zu einer Untersuchung der Bleirohrleitung heranzuziehen, bis der Kostenbeitrag erheblich reduziert wurde.

Im Spital erhielt ich ein kahles kleines Zimmer mit einer eisernen Bettstatt, einem Schreibpult, einem Stuhl und einem Telephon. Doch ich packte meine Koffer voll des Entzückens aus — wohnte ich hier doch unentgeltlich und verdiente schließlich, im Alter von dreiundzwanzig Jahren, ein bißchen Geld.

Ein Brief erwartete mich; er trug Benskins Schriftzüge und war ostentativ an *Doktor* Gordon gerichtet. Ich öffnete ihn.

«Lieber alter Junge», begann er. «Ich nehme an, daß Du überrascht sein wirst, wenn Du hörst, daß ich mich verheiratet habe. Ich war schon seit langer Zeit verflucht scharf hinter der Molly her (Du weißt schon, die, der ich damals in der Nacht einen Antrag gemacht hab'!), und wir beschlossen, diesen vertrottelten Ringwechsel vorzunehmen, sobald ich durchgekommen war. Ich hab' euch gemeinen Kerlen nichts davon gesagt, weil ihr so verschrobene Ansichten in diesen Dingen habt. Bei mir daheim erwartet mich eine allgemeine Praxis, und nun feiern wir unsere Flitterwochen in Cornwall. Ich möchte Dich übrigens noch davor warnen, Alter, mit dem Doktortitel allzusehr großzutun. Ich hab' mich im Gästebuch als Dr. med. Benskin eingetragen; kaum stiegen wir ins Hochzeitsbett, da klopfte der Hotelportier an die Türe und rief mich heraus, weil sich die Köchin verbrüht hatte. Die Ehe *wurde* konsumiert, aber erst jetzt. Dein alter Kumpan, Tony.»

«Verdammt nochmal!» sagte ich. «Dieser alte Fuchs!»

Ich starrte noch immer den Brief an, als das Telephon klingelte. Es war Schwester Virtus, mit der ich nun als Kollege zusammenarbeiten mußte. Ihr Ton war kaum weniger scharf als damals, da sie zu uns Studenten sprach — an neuen Hausärzten war ihrer Meinung nach fast ebensoviel zu bemängeln.

«Dr. Gordon», schnarrte sie, «wann werden Sie endlich im Saal zu erscheinen geruhen? Ich habe einen Haufen Krankengeschichten für Sie zum Unterzeichnen, und drei neue Patienten sind eingeliefert worden. Sie können nicht erwarten, daß das Pflegepersonal allein das Spital führt.»

Ich sah auf meine Uhr. Es war sechs Uhr abends. Ich mußte dem Padre die Geschichte mit Benskin berichten.

«Halb sieben, Schwester», sagte ich. «Ich bin gerade erst hier eingetroffen. Ist Ihnen das recht?»

«Keine Minute später», schnappte sie und brach das Gespräch ab.

Ich schritt mit Benskins Brief zum «König Georg» hinüber.

«Ich hab's schon die ganze Zeit gewußt, Sir, muß ich Ihnen gestehen», sagte der Padre gelassen. «'s ist immer dieselbe Geschichte bei denen, die eine Meile weit laufen, wenn sie eine Pflegerin sehen, und damit großtun, daß sie Junggesellen bleiben wollen. Das hab' ich schon viele Male mitgemacht, Sir. Und nehmen Sie sich in acht, Dr. Gordon — ich möchte wetten, Sie sind der nächste.»

«Na, ich zumindest weiß nichts davon, Padre. Momentan steht keine Dame auf dem Programm.»

«Ah ja, Sir, aber warten Sie nur, bis Sie eine Zeitlang im Spital als Doktor arbeiten statt als Student. Die Pflegerinnen sind doch alle hinter Ihnen her. Ihr jungen Männer werdet richtig verwöhnt.»

«Ich muß gestehen, daß ich eine gewisse süße Bereitschaft zur

Mitarbeit bei den Mädeln festgestellt habe, die früher nicht vorhanden war. Vielleicht haben Sie recht. Ich will jedenfalls auf der Hut sein.»

Ich machte ein paar Schlucke von meinem Bier.

«Heut abend ist es aber ruhig hier, Padre.»

«Es ist noch zeitig, Sir.»

«Ich weiß ... aber es ist irgendwie bedrückend ruhig, wenn Sie verstehen, was ich damit sagen will. Vielleicht kommt's mir deswegen so vor, weil es hier in den letzten paar Tagen so viel Spaß und Trubel gegeben hat. Es ist ... direkt einsam ist's hier. Dieser Promotionswirbel ist ja ganz in Ordnung, aber er überlebt sich rasch. Drei Tage liegt einem die Welt zu Füßen, und dann bemerkt man, daß es erst der Beginn vom Ganzen ist, und nicht das Ende. Von nun an hat man um ein verdammtes Stück härter zu kämpfen als bei den Prüfungen, wenn man seine Arbeit anständig erledigen und sein Brot damit verdienen will.»

«Da haben Sie schon recht, Sir. Alle sagen dasselbe. Das müssen Sie sich vor Augen halten: die sorglosen Studententage sind für immer vorbei. Das Leben ist hart, Sir. Es ist schon schlimm genug für einen Gastwirt, aber noch um ein verdammtes Stück schlimmer für einen Doktor.»

«Na, wir wollen nicht ins Lamentieren verfallen», sagte ich. «Und doch — diese letzten paar Tage hab' ich zu wünschen begonnen, ich hätte ein klein bißchen mehr aus meinem Studium herausgeholt.»

«Schlagen Sie sich das aus dem Kopf, Sir», meinte der Padre heiter. «Sie haben sich eine Menge Freunde zugelegt, an denen Sie, passen Sie nur auf, bis an Ihr Lebensende hängen werden. Und das bedeutet schon was, Sir. Studieren können massenhaft Leute, aber nicht viele von ihnen können so feste gute Freundschaften schließen, wie Sie es getan haben. Wo immer Sie sind, Sir, und wie viele Jahre auch vergehen, Sie werden sich immer an Mr. Benskin und die andern und an die schönen Zeiten erinnern, die Sie in diesen vier Wänden hier gehabt haben.»

«Wissen Sie, Padre», sagte ich, «das ist genau dasselbe, was ich mir selber denke. Ich hab' mich nur davor gescheut, es auszusprechen.»

Die Tür ging auf. Ein Spitalsdiener stand da.

«Herr Doktor», sagte er, «ich hab' schon überall nach Ihnen gesucht. Sie werden sofort im Krankensaal benötigt, Sir. Ein dringender Fall ist eingeliefert worden.»

Ich blickte auf das erst halbgeleerte Bierglas. Ich faßte es an, dann zögerte ich und ließ es stehen.

«Nun gut», sagte ich und nahm das Stethoskop aus meiner Rocktasche. «Ich komme.»

Die Zeiten haben sich geändert, dachte ich, als ich zum Spital hinüberschritt. Es war mir plötzlich zum Bewußtsein gekommen, daß es von nun an immer so weitergehen würde.

Neue heitere rororos

Rowohlt-Nachttisch-Büchlein
zum Verlieben und Verschenken

Eine Auswahl:

TRUMAN CAPOTE
Frühstück bei Tiffany
Silhouette eines Mädchens

HONORÉ DAUMIER
Vereint in Freud und Leid
Ein Ehespiegel. Mit 80 Lithograph.

GERALD DURRELL
Die Geburtstagsparty
Eine heitere Familiengeschichte
unter griechischer Sonne

JEAN EFFEL
Adam und Eva im Paradies
Für die fröhlichen Nachkommen
aufgezeichnet
Heitere Schöpfungsgeschichte
Für fröhliche Erdenbürger
in 182 Bildern aufgezeichnet
Der kleine Engel
Heiteres zwischen Himmel
und Erde
Unter uns Tieren
Abgelauscht in 153 Zeichnungen

GIOVANNETTI
Max oder Die Tücken des Objekts
40 Bildergeschichten

GRAHAM GREENE
Heirate nie in Monte Carlo
Ein Flitterwochen-Roman

OSCAR JACOBSSON
Adamson
30 Bildgeschichten

KURT KUSENBERG
Lob des Bettes
Bettgeschichten und Bettgedichte
im Bett zu lesen
Heiter bis tückisch
13 Geschichten

MANFRED KYBER
Ambrosius Dauerspeck
und Mariechen Knusperkorn

RAYMOND PEYNET
Mit den Augen der Liebe
182 Bilder für zärtliche Leute
Zärtliche Welt
Ein Bilderbuch für Liebende
und andere Optimisten

GREGOR VON REZZORI
*Die schönsten maghrebinischen
Geschichten*

JOACHIM RINGELNATZ
*Es wippt eine Lampe durch
die Nacht*
Gedichte und Zeichnungen

IDRIES SHAH
*Die verblüffenden Weisheiten und
Späße des unübertrefflichen
Mullah Nasreddin*

JAMES THURBER
75 Fabeln für Zeitgenossen
Den unverbesserlichen Sündern
gewidmet
Der Hund, der die Leute biß
und andere Geschichten für
Freunde bellender Vierbeiner

KURT TUCHOLSKY
Rheinsberg
Ein Bilderbuch für Verliebte
Schloß Gripsholm
Eine Sommergeschichte
Wenn die Igel in der Abendstunde
Gedichte, Lieder und Chansons

Von namhaften Künstlern illustriert

Richard Gordon

Rowohlt Taschenbuch Verlag

Paul Gallico

rororo